# GOOO UP

# ALBERTO JÚNIOR

# GOOO UP

APRENDA O MÉTODO INFALÍVEL DE COMO RESOLVER PROBLEMAS, CONQUISTAR QUALQUER OBJETIVO E CRESCER ACIMA DE TODAS AS EXPECTATIVAS

**Gooo Up!**
1ª edição: Julho 2019
Direitos reservados desta edição: CDG Edições e Publicações

*O conteúdo desta obra é de total responsabilidade do autor
e não reflete necessariamente a opinião da editora.*

**Autor:**
Alberto Júnior

**Revisão:**
3GB Consulting

**Preparação de texto:**
André Fonseca

**Projeto gráfico:**
Project Nine Editorial

---

**DADOS INTERNACIONAIS DE CATALOGAÇÃO NA PUBLICAÇÃO (CIP)**

J35  Júnior, Alberto
       Gooo up: aprenda o método infalível de como resolver problemas, conquistar qualquer objetivo e crescer acima de todas as expectativas / Alberto Júnior. – Porto Alegre: CDG, 2019. 156 p.

ISBN: 978-5-5047-0003-6

1. Vendas. 2. Vendedores - Estratégias. 3. Vendedores - Técnicas. 4. Motivação. 5. Tomada de decisões. I. Título.

CDD – 658.85

---

Bibliotecária Responsável
Andreli Dalbosco CRB10-2272

**Produção editorial e distribuição:**

contato@citadeleditora.com.br
www.citadeleditora.com.br

# SUMÁRIO

Prefácio ...........................................................................................7

Apresentação ..................................................................................9

Introdução ....................................................................................13

A estratégia de ir para cima dos problemas................................15

Um raio X no P.R.O.B.L.E.M.A..................................................24

O maior desafio é tomar a decisão certa......................................27

A dualidade na tomada de decisão ...............................................30

Não existe vida sem problemas .....................................................35

Como você lida com problemas? ..................................................42

Por que as pessoas não resolvem seus problemas? .......................48

Aprenda como resolver qualquer problema .................................59

Como ir para cima dos problemas ...............................................69

O método GOOO UP ..................................................................75

A.R.M.A. – Aceitação, Reconhecimento, Mapeamento, Ação....79

Seja um grande estrategista do GOOO UP ...............................111

Problemas sempre trazem ensinamentos ...................................142

A melhor versão de si mesmo .....................................................148

Um pouco da minha história.......................................................152

Agradecimentos finais.................................................................154

# PREFÁCIO

Amigo, se você está buscando um conteúdo direto, simples, objetivo e extremamente útil, pode ter certeza de que acabou de encontrar.

Não conheço vendedores ou profissionais de qualquer área que gostem de ler conteúdos rebuscados e fundamentalmente de autores que nunca estiveram "no *front*". Por isso, garanto a você que esta leitura é definitivamente dinâmica e principalmente real. Papo de vendedor de sucesso, de quem fez e faz praticando metodologia que funciona de verdade.

Você vai se inspirar e revitalizar suas energias e processos rumo a uma abordagem que leva a uma solução mais eficaz e eficiente dos seus problemas. Ir para cima dos problemas e dificuldades antes que eles venham para cima de você pode parecer óbvio, porém, fazer isso bem feito e da maneira certa pode, e vai fazer, toda a diferença no seu dia a dia.

Eu costumo dizer que jamais entregaria o meu exército a um general que nunca deu um tiro. Então, por que entregaria a minha força de vendas a quem nunca foi um vendedor de sucesso? Esse é o começo de tudo! Jamais pergunte a um mendigo como se faz para ficar rico. Portanto, jamais pergunte a um consultor ou "doutor" em vendas como se faz para vender com qualidade e constância. Pergunte a quem fez e faz!

Por isso, recomendo fortemente a leitura deste livro. Você vai viver o que chamo de "digestibilidade" do conhecimento, ou seja, vai aprender se satisfazendo e, o melhor, colocando em prática no minuto seguinte.

Dizem que sucesso é dor, umas mais fortes do que outras. Mas aqui você vai conhecer o que o autor denomina de A.R.M.A. do sucesso, um sistema muito interessante e de fácil aplicação para combater todo e qualquer problema ou dificuldade que surgir na sua vida.

Leia e releia este livro. Ele é uma fonte interessante para ensinar e estimular você a praticar bons e lucrativos movimentos no seu cotidiano, em especial se você trabalha com vendas.

***Luis Paulo Luppa***
*O Vendedor Pit Bull*

# APRESENTAÇÃO

Falar do Alberto Júnior é fácil para mim, pela intensidade do nosso relacionamento e por ele ser um grande parceiro, amigo e irmão de missão. Conheci o Alberto em 2018, e de lá para cá estamos trilhando caminhos similares, com o objetivo de motivar, inspirar e provocar mudanças na vida das pessoas. Acreditamos que de nada adianta ganhar dinheiro se você não puder compartilhar seus aprendizados, seus erros e acertos, e acima de tudo ajudar as pessoas a trilharem seus próprios caminhos de sucesso. Alberto vem fazendo isso com maestria, por meio de seus ensinamentos práticos sobre tudo aquilo que viveu e que aplica em suas organizações.

Conheço muitos *players* bem-sucedidos em vendas, mas posso falar com toda a certeza que a metodologia do Alberto é única, criada a partir de necessidades reais, com ferramentas e métodos únicos e inovadores, capaz de gerar resultados exponenciais em curto prazo.

Falo isso com muita propriedade porque hoje temos grupos de mentorias que conduzimos juntos, com imersões de dois a três dias, e o vejo ensinando as pessoas, ajudando-as a incorporar suas ferramentas e sua metodologia e dando a elas *feedbacks*, com resultados imediatos nas situações apresentadas.

Uma das maiores habilidades que identifico nele é a capacidade de resolver problemas. Ele nunca se assusta diante de um problema ou dificuldade. Vai para cima deles e os resolve. Aliás, esta é, com certeza, uma de suas principais *expertises*: a capacidade de solucionar problemas em curto prazo e de forma sustentável.

Toda pessoa de sucesso precisa resolver problemas, porque eles surgem sempre, nos vários momentos da nossa jornada empreendedora, profissional e pessoal. Portanto, aprender essa habilidade de "ir para cima dos problemas e os resolver", que Alberto Júnior ensina tão bem neste livro, vai torná-lo muito mais resiliente e preparado para vencer na vida. Afinal, é quando você encontra um problema e aprende a resolvê-lo que encontra um diamante raro e valioso: o aprendizado, a lição, e isso é para a vida toda.

Ao longo de minha vida, acumulei várias dessas lições, que me fizeram chegar ao topo e me ajudaram a construir uma empresa de inteligência imobiliária, a Neximob, com negócios em mais de quarenta cidades em nove estados diferentes. Também me permitiram escrever o livro *Kintsugi – O poder de dar a volta por cima*, que ficou doze semanas nas listas dos mais vendidos da *Veja* e da *Publishnews*. E com os ensinamentos deste livro, que o Alberto nos oferece com tanta generosidade, aprimorei ainda mais minha capacidade de resolver problemas e aprender com eles.

Este livro está também recheado de situações em que você pode se basear para aprender sobre outra habilidade que todo profissional de sucesso precisar ter: a habilidade de negociar, persuadir e vender. Mesmo que as pessoas digam que não sabem ou não gostam dessas atividades, a verdade é que elas estão vendendo, negociando e tentando persuadir alguém o tempo todo. Pense: você vende ideias, pensamentos, sua imagem, suas decisões. Vende para seu pai, seu filho, seu marido ou esposa, para um amigo. Você sempre procura persuadir os outros, convencê-los a comprar algo que você defende. Trabalha para persuadir, para que acreditem naquilo que você está dizendo, vendendo aquilo em que você acredita.

Assim é a vida: cheia de episódios em que se tem que vender algo para alguém. Então, você tem que aprender a vender, negociar e a ser persuasivo. E posso lhe garantir que este livro está repleto de ensinamentos com os quais você vai aprender a resolver problemas, a vender mais, negociar melhor e se tornar mais persuasivo.

Faça uma boa leitura e aproveite ao máximo as lições que você vai encontrar.

Edgar Ueda
Fundador da Neximob – empresa de inteligência
em negócios imobiliários –, palestrante e escritor do
livro *Kintsugi – O poder de dar a volta por cima.*

# INTRODUÇÃO

Quando um problema surge, uma ação – ou um conjunto delas – é exigida no sentido de encontrar uma solução. Um problema, por si só, é um elemento que nos cobra uma intervenção, que pede algum movimento na direção da resolução do que está ocorrendo. Um elemento capaz de nos tirar da inércia e nos lançar a um novo patamar de crescimento e evolução.

Enfim, a verdade é que só é possível alcançar objetivos, crescimento e desenvolvimento quando algo se move. *"Tente mover o mundo; e o primeiro passo será mover a si mesmo"*, disse Platão.

As mudanças só acontecem quando algo inicia esse processo, quando uma ação gera uma cadeia de fatos, situações ou ocasiões prováveis para chegar a um novo ponto. Sem ação não há mudança. Sem caminhar não é possível chegar a um ponto novo. Esse *start* inicial é exatamente o que chamaremos aqui de *Go for it*, ou ainda GOOO UP, ou seja, ir para a frente, avançar em direção a alguma coisa, ir para cima de um problema com a determinação de resolvê-lo.

Essa atitude se tornará um verdadeiro despertar para atingir os objetivos que você almeja, quase um renascimento.

Você já se sentiu insatisfeito com algo, mas parecia sem forças para se mover? Observou o momento de sua vida e percebeu que não queria estar ali, mas sim em outro lugar? Parou diante de um problema sem saber o que fazer, ou como agir para resolvê-lo?

Se isso é algo recorrente em sua vida, pense de novo! O que falta para que você se posicione como um solucionador de problemas, tome mais e melhores decisões e parta firme e decidido para a ação sempre que for preciso resolver uma dificuldade maior?

GOOO UP é um método de solucionar problemas que vai permitir que você siga até onde quer chegar e conquiste o que desejar. Com este livro será possível quebrar o círculo vicioso do comodismo para alcançar metas cada vez mais ousadas. Para isso, você vai conhecer a estratégia A.R.M.A., dividida em quatro princípios: Aceitação, Reconhecimento, Mapeamento e Ação.

Esse método é a maneira mais rápida de avançar, evoluir, dar um passo a mais na solução de problemas, em qualquer área de sua vida. Siga em frente, mova-se, porque o primeiro passo só você pode dar. Faça-o agora!

# A ESTRATÉGIA DE IR PARA CIMA DOS PROBLEMAS

Há um fato que não se pode negar: pessoas de sucesso sabem como solucionar problemas e dificuldades de forma ágil, direta e assertiva. Independentemente do tamanho do problema, elas sabem que só crescem quando encontram uma forma de resolvê-lo.

Pessoas de sucesso entendem plenamente que o princípio de focar na solução, e não no problema, pode mudar completamente sua vida e seus negócios. Elas solucionam problemas e dificuldades da forma mais simples possível porque acreditam que, como diz aquele velho ditado, "não há por que complicar se você pode simplificar". Viabilizam soluções simples e vão para cima dos problemas com força e vontade. Encaram os problemas e tomam as decisões necessárias para resolvê-los. E persistem no trabalho, até que cheguem ao resultado procurado.

As pessoas que são muito bem-sucedidas encaram e tratam os problemas sempre com atitudes positivas e construtivas, sentindo prazer pelo desafio de resolver a questão. Entendem que as falhas que porventura acontecem são elementos de lapidação de sua personalidade e do seu aprendizado, o que as levará mais próximo do sucesso.

Analise a história do mundo e você vai perceber claramente que, para uma pessoa de sucesso, cada fracasso é considerado como um troféu, pois traz consigo oportunidades incríveis de aprender e crescer.

É bastante conhecida hoje em dia a ideia defendida por Thomas Edison, inventor da lâmpada elétrica. Quando lhe perguntaram se era verdade que ele havia falhado mil vezes antes de inventar a lâmpada, ele respondeu que simplesmente tinha encontrado mil maneiras pelas quais a lâmpada não funcionava. Edson não desistiu, não reclamou, não desacreditou da possibilidade de solução do problema. Não hesitou na sua caminhada de pesquisas e não duvidou de que o seu problema tinha uma solução, e que ele a encontraria.

Para a maioria das pessoas, existe um obstáculo que atrapalha muito na caminhada rumo ao sucesso: o medo e a dúvida na tomada de decisão impactam negativamente na solução de problemas e dificuldades. Elas deixam que o medo as impeça de decidir como é preciso.

Pessoas fracassadas, quando encontram problemas ao longo do caminho, deixam que eles se acumulem e acabam decidindo por pegar atalhos que não levam realmente à solução, apenas dão uma sensação de que estão se livrando deles mais rapidamente.

Pessoas bem-sucedidas estão sempre preparadas para alcançar níveis mais elevados de sucesso. Estão sempre prontas para partir para a ação e nunca deixam que a indecisão consuma seu tempo e sua energia. Elas entendem que tomar decisões é o primeiro passo para resolver qualquer problema.

É importante ter isto em mente sempre: sem decisão não existe ação, não tem solução. Mesmo decisões incorretas são muito melhores do que nenhuma decisão, pois nos possibilitam, no mínimo, aprender com nossos erros.

Pessoas bem-sucedidas decidem e agem, fazem o que for preciso para alcançar seus objetivos e sonhos. Elas se destacam por tomar decisões mais cedo, mais rápido e com mais convicção.

Pessoas malsucedidas são vítimas da própria indecisão e procrastinação e sempre encontram desculpas para não agir, para não fazer o que é necessário. Como disse certa vez o astronauta norte-americano James Lovell, "Há pessoas que fazem as coisas acontecerem, há pessoas que assistem às coisas acontecerem e há pessoas que se perguntam o que aconteceu. Para ser bem-sucedido, você precisa ser uma pessoa que faz as coisas acontecerem".

Uma das frases do grande estrategista, escritor e palestrante motivacional norte-americano Tony Robbins[1] de que mais gosto diz que "o meio mais poderoso de moldar nossa vida é agir". Mas Tony Robbins também diz que "o pai da ação é a decisão", isto é, ele afirma que "Tudo o que acontece em sua vida – tanto aquilo com que se emociona quanto o que o desafia – começa com uma decisão!".

É nos momentos de decisão que você define o seu destino, o seu sucesso ou o seu fracasso. Mais do que qualquer outra coisa, são nossas decisões que determinam nosso futuro. Por isso é que considero que as pessoas de sucesso verdadeiro são proativas, isto é, tomam decisões consistentes para criar as soluções que elas buscam, e depois partem para a ação. Nunca esperam que as coisas caiam do céu e resolvam as dificuldades que estão enfrentando. Elas entendem que, por mais brilhante que seja uma ideia que tenham e mais forte que seja uma decisão que tomem, nada vai dar resultado enquanto elas mesmas não puserem o mecanismo para funcionar.

Portanto, é muito importante termos claro, desde já, que decisão e ação são as chaves para o sucesso na solução de todo e qualquer problema.

Depois de uma história de mais de 25 anos como vendedor, lidando com pessoas no dia a dia, percebi que o medo paralisa a quase todos quando um problema surge. Para mim isso soa como uma espécie de praga, que trabalha contra o desenvolvimento e o crescimento do indivíduo, seja como pessoa, seja como profissional.

Foi a partir daí que comecei a pensar sobre qual seria uma forma prática e infalível para as pessoas solucionarem qualquer problema, com confiança e determinação, para atingirem o sucesso e se tornarem quem sempre sonharam. E depois de uma longa história de buscas, experiências, vivências, erros e acertos, finalmente nasceu em minha mente uma forma de pensar e agir que chamei de GOOO UP, ou "a arte de ir para cima dos problemas". A ideia básica é ir definitivamente para cima dos problemas e "os atropelar" ou então, se for o caso, transformá-los em nossos aliados.

A palavra de ordem é superar qualquer problema, que sempre vem acompanhado de dúvidas, incertezas, medos e preocupações – preocupações vazias, em boa parte das vezes, porque muitos dos problemas são

---

1. ROBBINS, Tony. Desperte seu gigante interior.

apenas fruto de nossos preconceitos sobre coisas que nem existem ou que nem sequer experimentamos ainda.

A partir do momento em que definimos que o problema realmente existe, é preciso encará-lo com a seriedade que ele merece. Muita gente subestima a situação, ou mesmo tenta ignorar o problema, acabando por prolongá-lo mais, isso quando não o torna ainda mais complicado. Muitos gastam tempo e energia reclamando e tentando encontrar uma forma de contornar ou se livrar do problema, sem levar em conta o fato de que ignorar um problema não faz com que ele desapareça.

Se a vida nos apresenta um problema, precisamos antes dimensioná-lo, para só então traçarmos uma solução adequada ao que nos é exigido. Não adianta dramatizar a situação, de maneira a ficarmos paralisados, do mesmo modo que não resolve desconsiderar o problema de forma que acabemos sendo pegos de surpresa pelas consequências dele.

Problemas existem, e temos de estar prontos para resolvê-los, de modo a podermos ir para cima deles e definir a situação a nosso favor. Para isso, temos que lembrar sempre que precisamos, ao olhar para um problema, manter o discernimento para identificar o que é real e o que é fantasia. E então aplicar a energia exata para resolver a situação.

Não importa se o problema é grande ou pequeno, o melhor a fazer sempre é enfrentá-lo com consciência e responsabilidade. Quando você simplesmente faz o que tem que fazer, você tem poder e controle sobre a situação.

Depois de tudo que vivenciei, perdi, me equivoquei, errei, suportei, adquiri a certeza de que o mais importante ao lidar com um problema não é acertar ou errar, porque na verdade tudo faz parte de um processo de aprendizado. O mais importante de fato é este ponto: saber o que é real no problema e o que é fantasia. É saber o tamanho efetivo do problema e do risco que ele representa. E, por diversas vezes, a questão se resume a apenas conferir se o problema existe realmente ou não.

Muitas vezes, quando a pessoa se depara com problemas difíceis de serem enfrentados, ela cria uma válvula de escape mental em que a fantasia prevalece, impedindo que ela possa vislumbrar uma solução real para o problema[2].

---

2. Leia também: Realidade ou fantasia? Núcleo de Gestalt Terapia Integrada de Campinas – nucleogestalt.com.br.

Com o passar dos anos, cheguei a algumas conclusões que passaram a ser primordiais para tornar a busca de meus sonhos e objetivos mais realista e com maiores chances de sucesso. E foi exatamente assim que o método GOOO UP nasceu.

GOOO UP existe hoje para ajudar as pessoas a estarem prontas para "ir para cima dos problemas". E para isso é preciso que elas, antes de mais nada, assumam quem são e admitam que têm algum tipo de diferencial que as torna especiais, mas que também entendam que têm fragilidades que precisam ser aceitas e trabalhadas.

Para conquistar o sucesso em resolver problemas, assumir o controle de sua vida é a peça-chave. Mas como é possível assumir o controle de sua vida? Primeiro de tudo, é preciso acreditar que você pode se tornar o que quer ser, sem vitimismo e sem terceirizar seus resultados e suas responsabilidades. Quando você faz isso, passa a ter controle sobre praticamente tudo que lhe diz respeito.

Todos sonhamos poder viver nossa vida de acordo com aquilo em que acreditamos e que valorizamos. Mas é preciso aceitar que esse não é um processo muito fácil, ou agradável, como gostaríamos. Por isso vai sempre exigir força, determinação e coragem, e vai implicar sempre algum sofrimento. De modo que você vai precisar procurar estar com os pensamentos certos em mente, para gerar os movimentos adequados, que o levarão à solução dos problemas.

O pensamento é o grande gatilho para a ação. Todos os resultados vêm de pensar, sentir, agir e insistir. A ação é gerada com base nos estímulos de mesma intensidade e na frequência com que o pensamento permanece em sua mente. Quanto mais tempo você passa com determinado pensamento, manifestado de modo intenso, mais o resultado acontece. Por isso é importante termos à mão um método prático que nos ajude a manter os pensamentos certos e partir para as ações correspondentes que nos levem à solução dos nossos problemas.

O método GOOO UP vai contribuir para ampliar o seu resultado de maneira prática e simplificada, desmistificando a ideia de que problema é algo ruim – problemas são, na verdade, apenas elementos não compreendidos na sua essência e no seu real motivo de existir.

Conforme afirmou John Adams, estadista norte-americano, "Todo problema é uma oportunidade disfarçada".

Ter problemas significa que você está vivo e em desenvolvimento. Existe uma crença que diz que quanto mais problemas você tem, melhor se torna. Porque problemas servem especialmente para nos amadurecer, para ampliar nossa visão de mundo. É preciso escolher ver nossos problemas como oportunidades, e não como se fossem alguma espécie de castigo dos céus.

## O método GOOO UP irá:

🎯 Ajudar as pessoas a se tornar sua melhor versão, adquirindo uma naturalidade para solucionar os problemas que as impedem de conquistar seus sonhos, metas e objetivos.

🎯 Ajudar as pessoas a aprender e aceitar que problemas existem para serem superados e que isso é fato relevante para a conquista do sucesso.

🎯 Ajudar as pessoas a entender que elas podem muito mais do que acreditam.

🎯 Ajudar as pessoas a mudar e melhorar suas vidas, superando seus problemas e dificuldades.

É importante termos consciência de que podemos tudo, mas que sempre existe um preço a pagar para ter o que desejamos – e saber se desejamos realmente pagar esse preço. Como sempre digo, "Se você quer uma batatinha frita, a vida pode pedir para você levar a Coca-Cola". E isso é a sua parte, o preço a pagar. Não adianta você pedir algo e não querer pagar por isso. O escritor e poeta britânico Rudyard Kipling escreveu: "Não conseguir o que você quer significa ou que você não quer o suficiente, ou que você está negociando demais com o preço que tem que pagar".

Temos a liberdade de escolher pagar o preço, ou não, para realizar nossos sonhos, ou quando temos de resolver um problema. Isso nos diz que temos também a responsabilidade pelas consequências de nossas escolhas, sejam elas boas ou más.

Lembre-se sempre de que você muda de patamar na vida quando vive algo melhor do que tudo o que já viveu. Mas isso pode levá-lo para cima, a um nível mais alto, ou pode "matá-lo" de uma vez. Quando alguém vai para um patamar melhor, mas para o qual não está preparado para viver, é o mesmo que se matar. Por isso, você tem que se preparar para viver todo o sucesso que vem buscando.

Você tem que estar preparado para viver tudo aquilo de melhor que deseja para a sua vida. Mais ainda, precisa ter consciência de que você está preparado. Não use a desculpa de não se sentir preparado somente para ficar sem fazer nada, sem fazer o que é necessário. A seguir, iniciaremos um teste de dez perguntas para que possamos entender em que nível de decisão você está. Esta autoanálise inicial é muito importante para que possamos entender sua necessidade. Seja o mais sincero possível nas respostas antes de seguir com a sua leitura.

| 1 | Pense em um problema: a primeira reação que você tem é deixar que o tempo o resolva?<br>( ) Sim – 2 pontos<br>( ) Não – 1 ponto |
|---|---|
| 2 | Você fica ansioso para resolver um problema, pois ele o consome, ou tanto faz pra você?<br>( ) Ansioso – 2 pontos<br>( ) Tanto faz – 1 ponto |
| 3 | Se puder, você terceiriza seus problemas ou prefere pegar e resolver?<br>( ) Resolve – 2 pontos<br>( ) Terceiriza – 1 ponto |

| | |
|---|---|
| 4 | **Se sente poderoso quando resolve um problema ou apenas se sente um secador de gelo, pois sabe que é apenas o começo, e outros problemas surgirão?**<br>( ) Poderoso – 2 pontos<br>( ) Secador de gelo – 1 ponto |
| 5 | **Sua visão é de alguém solucionador ou procrastinador?**<br>( ) Solucionador – 2 pontos<br>( ) Procrastinador – 1 ponto |
| 6 | **Se o mundo acabasse hoje e você tivesse a chance de resolver seus problemas, você resolveria pela obrigação ou por assumir o controle da sua vida?**<br>( ) Assumir o controle – 2 pontos<br>( ) Obrigação – 1 ponto |
| 7 | **Sempre que acontece algo grave, você acredita que tem capacidade de resolver ou se desespera sem pensar no assunto?**<br>( ) Acredita em sua capacidade – 2 pontos<br>( ) Se desespera – 1 ponto |
| 8 | **Qual palavra resume você:**<br>( ) Solucionador – 3 pontos<br>( ) Questionador – 2 pontos<br>( ) Procrastinador – 1 ponto |
| 9 | **Se você puder trocar o nome problema por outro, qual seria?**<br>( ) Desafio – 2 pontos<br>( ) Oportunidade – 3 pontos<br>( ) Desespero – 1 ponto |
| 10 | **As pessoas procuram você para ajudar a resolver problemas?**<br>( ) Sim – 2 pontos<br>( ) Não – 1 ponto |

**RESULTADO:** _____

Muitos de nós, embora talentosos, bem qualificados e cheios de ótimos planos para nossa vida, passamos anos parados no mesmo ponto, por acreditarmos que ainda não estamos prontos o suficiente. Nessa "busca pela perfeição", que afinal não existe, nos colocamos em uma armadilha, em um ciclo interminável de preparação, que acaba não levando a lugar algum e em que acabamos não realizando coisa alguma. Some os pontos a partir de suas respostas. Se o total for inferior a 20 pontos, você está parado no mesmo ponto e tem dificuldades, mesmo que apenas em alguns momentos, de tomar decisões e enfrentar os problemas.

Minha proposta neste livro é ajudá-lo a repensar seu modo de agir, a tomar suas decisões e se acostumar a ir para cima de qualquer dificuldade que tenha – ou que acredite que tenha – e fazer o que deve ser feito para que suas conquistas apareçam, no tom e na intensidade com que você as criar em sua mente.

O método GOOO UP vai ajudá-lo a se tornar a melhor versão de si mesmo.

**PERSONALIDADE GOOO UP**
Pessoas que foram para cima dos problemas e resolveram. E venceram.

### Albert Einstein

Um dos homens de maior genialidade que conhecemos, ganhador de um Prêmio Nobel e lembrado e homenageado no mundo todo, em especial nos meios científicos, foi considerado durante a infância como "mentalmente lento". Só conseguiu falar aos quatro anos de idade e ler aos sete. Todos diziam que era um caso perdido, e ele era alvo de chacota em todos os ambientes que frequentava. O gênio nunca desistiu de seus objetivos e superou todos os problemas que teve de enfrentar.

# UM RAIO X NO P.R.O.B.L.E.M.A.

Gosto muito de usar o acróstico que está logo a seguir como uma forma de desmistificar a palavra problema. Leia com atenção e sinta como isso provocará em você uma nova visão das dificuldades da vida:

**P** - Possibilidade de aprender novos conhecimentos, habilidades e atitudes.

**R** - Realizar a solução de algo para comprovar que é muito maior que qualquer coisa.

**O** - Organizar sua visão de forma ampliada, vista de fora de seu dia a dia.

**B** - Buscar no seu íntimo e intuição formas de superar dificuldades.

**L** - Lembrar que, se o problema existe, ele já tem solução. Basta executar.

**E** - Estabelecer limites de controle sobre algum acontecimento.

**M** - Mostrar que, quanto mais dificuldade, mais necessária uma ação assertiva.

**A** - Adaptar o momento à sua realidade, utilizando suas experiências ou as de terceiros.

Veja como essa linha de pensamento nos dá uma visão de que um problema nunca é algo essencialmente ruim. Ele existe para o seu bem, para que seu presente e seu futuro sejam melhores e com grandes conquistas.

Problemas sempre vão existir. Eles são parte importante da nossa vida e estarão presentes em toda a jornada, principalmente quando nos aventuramos por novos caminhos, nos quais temos pouco ou nenhum conhecimento ou experiência. Mas problema não é sinônimo de algo ruim, e pensar de maneira negativa sobre os problemas não é uma linha de raciocínio que nos seja conveniente ou que nos beneficie.

Se você considerar os problemas como algo indesejável e, em vez de procurar resolvê-los, você se angustiar, se desesperar e até mesmo tentar ignorá-los, só vai mantê-los sem solução e, possivelmente, terá novas dificuldades, criadas exatamente por determinado problema não ter sido solucionado.

Cada problema funciona como se fosse um espelho que reflete o seu modo de ser. Quando você encara um problema, olha um pouco para si mesmo, percebendo como você reage diante de uma situação difícil. Com isso, tem uma oportunidade maravilhosa de ajustar o seu comportamento de modo que possa potencializar suas chances de sucesso.

Existem lições preciosas a serem aprendidas a partir do processo de lidar com um problema e buscar sua solução. Por isso mesmo, quando você foge deles, além de perder uma oportunidade de crescimento, você ainda reforça mentalmente suas falhas e suas deficiências.

A vida sempre vai oferecer-lhe problemas e soluções. Simples assim. Você pode optar por fazer parte da solução ou se amargurar com o problema, seja ele verdadeiro, seja falso. A grande questão é: você quer fazer parte do que exatamente? Da solução ou do problema? Você precisa se posicionar quanto a isso, porque o mundo de hoje não admite que alguém fique se equilibrando em cima do muro. Ou participamos da solução ou permaneceremos como parte do problema, possivelmente tornando-o ainda mais complicado do que era inicialmente – afinal, quem não ajuda por si só já atrapalha.

Pessoas solucionadoras sempre estão à frente de qualquer dificuldade. Elas sabem que quanto mais GOOO UP elas forem, mais provável será o seu sucesso. Elas têm grande convicção de que, se estão vivas, isso significa que têm de solucionar problemas e dificuldades a todo momento, sejam eles externos, sejam mesmo internos, da mente ou do corpo de cada um.

Toda vez que você avaliar e perceber que realmente existe um problema, saiba que existe também uma oportunidade para que você se torne sua melhor versão. Existe um desafio que o ajudará a se desenvolver e crescer e se tornar ainda mais hábil para lidar com qualquer situação. Pessoas que conseguem lidar bem com os problemas e com as dificuldades têm muito mais chances de se tornarem *cases* positivos da própria história.

Lembre-se sempre de que o grande segredo do sucesso é estar mais focado na busca de soluções do que na preocupação com o problema. Como aconselha o escritor norte-americano Anthony J. D'Angelo, "Concentre 90% do seu tempo nas soluções e apenas 10% do seu tempo nos problemas".

Para concluir este nosso "raio X" sobre os problemas, quero reforçar aqui a ideia de que para todo problema existe pelo menos uma solução! Pessoas bem-sucedidas escolhem concentrar-se na solução, nunca no problema.

Assim como uma lente de uma máquina fotográfica só foca em uma imagem de cada vez, nossa mente só pode dar atenção total a uma coisa por vez. Logo, se você perde seu tempo se preocupando com um problema, não vai poder se concentrar em como solucioná-lo.

Concentrar-se na solução é o que realmente importa e o que o leva ao seu objetivo, que tem sempre que ser resolver o problema.

---

**PERSONALIDADE GOOO UP**
Pessoas que foram para cima dos problemas e resolveram. E venceram.

### Henry Ford

Henry Ford foi um mestre da persistência. Antes de ser bem-sucedido, foi à falência cinco vezes. Teve de suportar o descaso e a chacota de todos à sua volta e cansou de ouvir as pessoas dizerem que "os cavalos nunca seriam substituídos por máquinas". Em uma de suas frases mais famosas, Ford disse: "Não encontro defeitos, encontro soluções. Qualquer um sabe queixar-se". Era assim que ele lidava com os problemas e os resolvia.

# O MAIOR DESAFIO É TOMAR A DECISÃO CERTA

A maioria das pessoas, independentemente da sua área de atuação, quer ter sucesso, mas não sabe como resolver e superar os problemas e dificuldades, sejam eles pessoais, mentais ou profissionais. A falta de habilidade para resolver problemas e dificuldades pode ter grande impacto negativo na sua vida pessoal e profissional. Para se posicionar numa carreira de sucesso, seja lá em qual área ou projeto for, a capacidade de tomar decisões e resolver problemas é algo básico e essencial.

No mundo atual, com a economia global mudando rapidamente e a tecnologia evoluindo de maneira alucinante, cada vez mais se faz necessário, entre os profissionais, desenvolver a capacidade de resolução de problemas, em especial aqueles que fazem parte do dia a dia das organizações e cujas soluções acabam por definir seu sucesso.

Por isso, cada vez mais se espera dos funcionários que se habilitem a desenvolver soluções práticas e criativas na resolução dos desafios do cotidiano. Boas habilidades para resolver problemas dão destaque ao profissional em sua vida profissional, mas são também essenciais em sua vida pessoal.

Enquanto algumas pessoas são hábeis negociadoras na solução dos seus problemas, outras vivem com a mente impactada pelo medo e pela dúvida, que atrapalham suas decisões. As pessoas não conseguem resolver seus problemas normalmente porque a tomada de decisão, para elas, é sempre algo complicado.

A solução dos problemas se baseia em diversos fatores, mas a tomada de decisão é que lhe dá o verdadeiro poder de resolução. Porém, um dos maiores desafios de todo ser humano é tomar decisões. Por isso mesmo, as pessoas ficam postergando, com medo de decidir errado.

Mas o que está envolvido na tomada de decisão que a torna tão complicada? Que fatores psicológicos estão envolvidos nas tomadas de decisão que as tornam tão complicadas e difíceis para a maioria das pessoas?

A partir de uma análise do especialista em produtividade Christian Barbosa[1], entendemos que algumas escolhas são simples e diretas, enquanto outras são complexas e requerem uma abordagem cuidadosa sobre os aspectos psicológicos que as permeiam e dificultam sua tomada de decisão. Alguns desses fatores são, principalmente, incertezas, complexidade, medo de mudança e não querer abrir mão de algo.

Para que seja tomada uma decisão e seja executada alguma ação, em geral a pessoa precisa buscar ter a sensação e a visão positiva de que o problema será resolvido. Mais do que isso, ela necessita procurar pela certeza de que ele será sanado, e não ampliado. Mas nem sempre essa certeza está disponível no momento da decisão.

É preciso, de início, aceitar que o problema existe, avaliar a situação com cuidado e seriedade, para então procurar enxergar qual seria a melhor decisão a ser tomada, e em que momento. Quando se tem algo mais claro e de maneira prática, como dados e informações, fica mais simples decidir e agir. Por isso alguns problemas se mostram mais simples do que outros.

É importante ter em mente que, quando os problemas surgem, então é bastante provável que já se saiba qual é a sua solução. É fato que, em 99,9% das vezes em que surge um problema, a solução já se mostra praticamente ao mesmo tempo que o problema. Porém, o medo e a dúvida na tomada de decisão atrapalham o vislumbre dessa solução, dificultando a percepção sobre qual é a melhor forma de agir para o problema ser resolvido.

---

1.  FONTE: maistempo.com.br – A dificuldade na tomada de decisões – por Christian Barbosa.

É nesse ponto que entra o método GOOO UP. Saber avaliar o problema corretamente e com embasamento dos pontos desse método leva a tomada de decisão para um nível de assertividade muito acima do que é usual. Assim os problemas são resolvidos com mais objetividade, e a experiência adquirida nesse processo se soma ao preparo da pessoa para enfrentar novos problemas.

**PERSONALIDADE GOOO UP**
Pessoas que foram para cima dos problemas e resolveram. E venceram.

## Michael Jordan

Um dos melhores jogadores que o basquetebol mundial já conheceu, Jordan foi afastado da equipe de basquete na escola, porque não jogava bem. Isso só serviu para incentivá-lo a treinar ainda mais, muito mais do que todos os outros garotos treinavam. Conseguiu voltar para o time e foi um dos principais responsáveis por levá-los ao campeonato. O resto é a história que você já conhece. O próprio Jordan é categórico ao afirmar: "Foram as falhas que tive que me levaram ao sucesso".

# A DUALIDADE NA TOMADA DE DECISÃO

Sabe qual é o maior problema do mundo? É tomar a decisão, quando acorda pela manhã, sobre se vai fazer deste o grande dia de sua vida, ou se vai desperdiçá-lo em lamentações. Não existe problema maior do que esse na vida, e preste atenção: a decisão depende somente de você.

Dizem que os nossos últimos pensamentos antes de adormecer são os mesmos que nos acordam no dia seguinte. Então, fazer um balanço das coisas boas do seu dia antes de dormir sempre lhe trará inspiração para começar um novo dia motivado.

É sempre bom lembrar que tudo a que damos atenção cresce. Então, não perca tempo dando atenção a coisas que irão crescer na direção em que não deseja ir. Assim poderá tomar decisões mais acertadas, baseadas naquilo que lhe faz bem. Faça disso sua tarefa de todas as noites e todas as manhãs e você se surpreenderá com as coisas boas que virão para a sua vida.

Com tudo o que já foi dito aqui, é bastante provável que você já esteja consciente de que é mais fácil para o ser humano fazer papel de vítima do que agir com determinação na solução de problemas e dificuldades que solicitem sua intervenção. E isso é válido para a vida tanto pessoal quanto profissional.

O que as pessoas não entendem é que a solução de problemas se limita apenas a resolver questões relativas à dualidade das possibilidades de escolha. Pense um pouco sobre isso. Será que você já parou para analisar que em tudo na vida existe dualidade? Veja:

- Você pode ter luz ou sombra;
- Pode dizer sim ou não;
- Pode querer ou não querer;
- Aceitar ou rejeitar;
- Falar ou ficar quieto;
- Fazer ou justificar;
- Criar ou copiar;
- Unir ou separar;
- Adicionar ou subtrair;
- Ser calmo ou agitado;
- Fazer algo para ser rico ou pobre;
- Ser feliz ou triste;
- Cair ou se manter firme;
- Subir ou descer;
- Ter certeza ou duvidar;
- Ser legal ou chato;
- Gastar dinheiro ou poupar;
- Trabalhar ou viver folgado nas costas dos seus pais;
- Formar opinião ou usar a dos outros;
- Ser reconhecido ou apenas reconhecer alguém;
- Viver sua vida ou querer apenas a dos outros;
- Ser convicto ou duvidoso;
- Ousado ou medroso;
- Ter respeito ou ser mal-educado;
- Sonhar e fazer ou apenas sonhar;
- Ter legado ou apenas viver a vida.

Poderíamos continuar aqui para sempre, mas o que fica claro é que tudo na vida é baseado na dualidade. Pense e confira: na sua história de superação de problemas, na sua visão de mundo, no seu modo de agir, nas suas decisões, em tudo existem duas opções de escolha a ser feita. Busque em seu próprio histórico de vida e você vai perceber como isso é uma realidade.

Sem compreender a dualidade em nossa vida, estamos perdendo uma das ferramentas de aprendizado mais profundas. A dualidade nos ensina que todo aspecto da vida é criado a partir de uma interação equilibrada de forças opostas e concorrentes. No entanto, essas forças não são apenas opostas; elas são complementares[1]. Compreender a dualidade é um bom ponto de partida para resolver problemas de modo mais efetivo.

Na vida e na liderança de um time, estamos constantemente lidando com a dualidade. Mas não devemos ver a tomada de decisão como um fator de separação, em que tenhamos obrigatoriamente de rejeitar um dos lados da moeda ao aceitar o outro. Na verdade, o caminho mais produtivo para tomar decisões vem de considerar e valorizar os dois lados de cada situação.

Em vez de imediatamente escolher um lado e rejeitar o outro, aceitar ambos inicialmente nos dá uma visão mais ampla da situação, e assim podemos deixar para trás com tranquilidade o que não nos interessa e colocar nosso foco naquilo que nos fará resolver os problemas e prosperar.

Portanto, decidir é fazer escolhas e significa simplesmente analisar, contemplar e considerar ambas as possibilidades disponíveis, para só então optar entre uma e outra. Por isso, decida com convicção e assertividade. Escolha com base naquilo que você quer se tornar ou naquilo que você quer resolver na sua vida, ou no seu dia a dia de trabalho, e como quer resolver. Assim ficará muito mais fácil de tomar decisões inteligentes.

Existe um exercício muito interessante e eficaz, que recomendo que você pratique, para ter a visão correta na hora de tomar suas decisões sobre as dificuldades e problemas que surgem na sua vida: quando surgir "um problema", procure trocar a palavra "problema" por outra mais aberta para a solução. Isso vai melhorar a sua disposição para pensar melhor e mais claramente na situação.

---

1. FONTE: www.psychreg.org – The Duality of Life and Death, By Scott Trettenero.

Por exemplo, quando alguém mencionar "estes são os problemas para atingir o sucesso", troque por "esta é a preparação para o sucesso". Quando disserem "o problema para atingir esta meta", troque por "o desafio para atingir esta meta". Se alegarem que "existe um problema que dificulta chegar a esse resultado", mude para "existe uma oportunidade de crescermos enquanto buscamos esse resultado". E perceba como isso muda o seu sentimento sobre a forma como vai abordar a situação.

O impacto de uma frase que sugira solução e capacitação é sempre muito mais positivo e estimulante e leva o seu cérebro a montar as estratégias GOOO UP para lidar com o que quer que venha pela frente. Tudo na sua mente fica alinhado para expandir suas possibilidades. Dessa forma, você tem uma visão mais apropriada para tomar as melhores decisões.

Pratique o exercício sugerido com frequência e perceba como você vai se sentir mais potente e capaz de tomar as melhores decisões. Use outras palavras estimulantes, sempre buscando minimizar o impacto negativo das mensagens que recebe do mundo exterior, e, ao mesmo tempo, avalie o efeito que isso causa nos seus resultados, sejam eles imediatos, de médio ou de longo prazo.

O grande segredo é ter em mente que tudo tem um lado bom, e não poderia ser diferente com os problemas. Portanto, é o modo de olhar para "o problema" que vai dizer o quanto de facilidade, ou dificuldade, você vai ter para lidar com ele. De novo, trazendo aqui a ideia da dualidade das coisas, podemos encarar cada situação difícil como "um problema ou uma oportunidade". E isso vai definir a sua ação diante de cada situação.

Cada pessoa tem uma forma diferente de lidar com as situações. Para alguns, até mesmo uma gaveta aberta em um móvel pode se transformar em motivo para uma guerra. Para outros, algo difícil como colocar a economia do país no rumo certo pode ser apenas um desafio um tanto maior do que a maioria dos problemas que eles enfrentam. A diferença de postura já começa por aí.

Além disso, enquanto uns irão olhar para a gaveta aberta pensando sobre quem foi o culpado por aquela falha, outros poderão fazer de conta que não viram o problema, e outros, ainda, simplesmente informarão o problema para outra pessoa, passando a bola adiante.

Em todos esses casos, não podemos dizer que alguém tomou alguma atitude que realmente resolvesse o problema. O pior é que essas pessoas que "só ignoram ou empurram o problema com a barriga" são as que mais reclamam de tudo. E assim alimentam um problema que já existe, se tornam parte do problema e ainda ficam propensas a causar novos problemas.

As pessoas que realmente são proativas e candidatas a um sucesso maior na vida são aquelas que vão lá e "simplesmente fecham a gaveta", reestabelecendo a ordem no local.

Sempre que penso sobre isso procuro me lembrar de uma frase que ouvi sendo dita pelo Capitão Jack Sparrow, famoso pirata criado pelos escritores Ted Elliott e Terry Rossio e interpretado no cinema pelo ator Johnny Depp: "O problema não é o problema. O problema é sua atitude diante do problema". Então, qual é a sua atitude perante os problemas?

### PERSONALIDADE GOOO UP
Pessoas que foram para cima dos problemas e resolveram. E venceram.

### Oprah Winfrey

Vítima de violência doméstica, abusada sexualmente por familiares, deprimida e levando uma vida promíscua. Quando decidiu entrar para o jornalismo, foi afastada do noticiário, pois não apresentava a necessária imparcialidade ao dar as notícias. Aos poucos conquistou seu espaço na tevê, em programas menores, e construiu um sucesso incomparável. Criou o Oprah Winfrey Show, que fez sucesso durante mais de 25 anos. Tornou-se dona de seu próprio canal de televisão.

# NÃO EXISTE VIDA SEM PROBLEMAS

Você já parou para pensar o que seria da sua vida se não tivesse problemas? Ou mesmo se não tivesse desafios e objetivos mais difíceis, desafiadores? O que de fato faria você seguir em frente?

Terry Fallis, escritor canadense e consultor de relações públicas, escreveu: "Uma vida sem desafios, sem dificuldades e sem propósito se torna pálida e sem sentido. Com os desafios, vêm a perseverança e o bom senso. Com as dificuldades, vêm a resiliência e a determinação. Com o propósito vêm a força e a compreensão".

Veja que combinação perfeita de ferramentas temos aqui para quem se propõe a partir para cima dos problemas e resolvê-los: perseverança, bom senso, resiliência, determinação, força e compreensão.

Com toda a certeza, viver bem não significa ter uma vida livre de problemas, mas sim ser dono da sabedoria para enfrentá-los e os solucionar. Problemas são partes da nossa vida – talvez até mesmo uma das partes mais importantes. São os fatores que nos proporcionam a experiência e moldam a personalidade única de cada um de nós, por meio da oportunidade de superação a cada dia, o que nos permite ter uma vida cada vez melhor.

A verdade é que uma vida sem problemas ou objetivos difíceis seria uma vida sem sentido, sem gosto, sem alegria. Acredito que o grande objetivo de nossa vida é buscar soluções para as dificuldades, sejam elas em momentos de pressão, de necessidade ou de interesse por algo mais.

O que tenho reparado ao longo da vida é que nossa capacidade de enxergar os problemas é a mesma que temos de solucioná-los. Se podemos ver e identificar um problema, podemos resolvê-lo.

Todos podemos ser beneficiados ao desenvolver nossa capacidade de resolver problemas, sejam eles simples, sejam complexos. Seja qual for o caso, o primeiro passo na direção da solução é identificar o problema. Não conseguir reconhecer que o problema existe é deixar a situação à mercê das circunstâncias – e poderá ir se agravando até o ponto de a situação não ter mais retorno.

O grande impasse vem do fato de que, quando alguém fala em "problema", normalmente essa palavra soa tão forte que acaba anulando a capacidade e a habilidade que temos de atuar na solução, antes mesmo de conseguirmos avaliar a situação. E isso torna menor a nossa predisposição para lidar com qualquer problema, seja ele simples, seja complexo.

É preciso compreender e aceitar que, sendo elementos naturais na nossa vida, os problemas, na maioria das vezes, não são impedimentos para continuarmos a avançar com o que estamos fazendo. Mas tem gente que complica tudo e, só de ouvir falar em problema, já anula toda a sua capacidade de pensamento e ação.

Muitas pessoas têm dificuldades de lidar com os problemas pelo simples fato de não se verem como parte de sua solução. São pessoas que normalmente cresceram tendo sempre alguém resolvendo os problemas delas e, por isso, na vida adulta não conseguem lidar com os desafios que um problema geralmente representa. Outras pessoas ficam paralisadas diante dos problemas, como se isso pudesse evitar que elas sofram com seus medos e inseguranças.

Vamos listar aqui alguns problemas e dificuldades pelas quais você provavelmente já passou na vida, ou conhece alguém que os experimentou. Preste atenção e veja como, na maioria, eles são bem simples, mas mesmo assim apavoram grande parte das pessoas enquanto não são solucionados.

Perceba que, a cada fase da sua vida, você teve problemas que pareciam barreiras intransponíveis, mas você passou por eles e os resolveu ou superou. Perceba também como, a cada problema que se apresenta nos exemplos a seguir, sua mente procura imediatamente uma forma de resolvê-lo.

É provável que não se lembre, mas, na época em que era um bebê e ainda não sabia falar, você tinha um belo problema quando estava com fome e não sabia dizer isso para sua mãe. Como é que você solucionava? Tinha que chorar. Mas resolvia o problema.

Quando você era uma criança um pouco mais velha, havia na sua escola um colega que adorava tirar seu brinquedo preferido. Isso era realmente um grande problema, não é mesmo? O que houve então com ele? Você encontrou uma solução, ou, com o tempo, isso deixou de ser um problema.

Que tal pensar naqueles dias em que você não gostava nem um pouco da comida que seus pais colocavam na mesa, mas, se não comesse, iria ficar com fome, porque não haveria outras coisas para comer? Que problema! Mas você também resolveu isso. Cada um de nós achou uma maneira diferente de resolver esse tipo de problema na nossa vida. Mas resolvemos.

Na festa de seu aniversário, ou quem sabe no Natal, na Páscoa ou no Dia da Criança, você não ganhou o que pediu de presente. Que frustração! E a frustração é um grande problema. Como você superou isso?

Seu irmão mais novo aprontou uma bela encrenca e depois colocou a culpa em você. Seus pais lhe deram uma bronca pesada, e você não tinha nem mesmo como se defender. Que injustiça! E ser injustiçado é, sim, um grande problema. Mas você achou uma solução para isso – tanto é que está aqui hoje, vivo e ativo, apesar de ter sido tão injustiçado.

Quem sabe você se lembre daquela vez em que tirou nota baixa em uma matéria escolar e, para recuperar a média, precisaria estudar muito para a prova seguinte. Mas o grande problema é que você não gostava mesmo de estudar. Lembra como você resolveu essa questão?

É possível que, na época de escola, você tenha tido um trabalho em grupo para entregar, mas não teve como participar dos estudos e do preparo daquele material. Ficou uma situação complicada, e o problema é que você poderia ficar sem aquela nota. Qual foi a solução que você deu para isso?

Na adolescência, você estava doido para ir para a balada, mas não tinha dinheiro. E a turma toda iria estar lá, inclusive aquela garota ou o garoto que você paquerava. Como você resolveu essa situação?

Já aconteceu de sua mãe pedir para você comprar algo no supermercado, mas, quando chegou lá, você esqueceu o que era? Tentou ligar para ela, mas seu celular não funcionou, porque faltou bateria. É claro que você resolveu a situação. Como foi que você fez?

Você precisou mandar um currículo para uma empresa – e era a empresa em que você sonhava em trabalhar –, mas não tinha a experiência que eles exigiam como primordial no anúncio de emprego. Como você fez nesse caso?

Você foi aprovado no vestibular. Porém, foi no curso que seus pais tinham como sonho deles para você, e não naquela área que você adora e para a qual tem vocação. Como você resolve isso?

Você conheceu uma pessoa e tem certeza de que ela é o amor da sua vida, com quem quer ter uma família com muitos filhos. Depois de namorarem por alguns meses, ela pede um tempo para pensar sobre o relacionamento e ainda lhe diz que não quer ter filhos. Como você conduz essa situação?

Um colega de trabalho com bem menos tempo de empresa que você foi promovido, e você não. O problema é que você está se sentindo injustiçado e que não foi avaliado corretamente. Como você pode resolver essa situação?

@ Certo dia você chega na empresa e recebe uma carta de "obrigado por tudo, mas não precisamos mais de seus serviços". Você foi demitido. Qual é a sua solução para uma situação dessas?

@ Você compra uma tevê de 50 polegadas, a melhor e mais atual tecnologia disponível no mercado. Está todo feliz. Mas, dois meses depois, começa a faltar dinheiro, e você tem que escolher entre pagar a prestação da tevê, pagar a conta de luz, comprar comida, ou ainda pagar outras contas. Como resolver esse problema?

@ Sua vida está uma loucura. Falta tempo até para resolver o dia a dia. Só que você recebe uma oportunidade para participar de um grupo de trabalho que vai lhe tomar bastante tempo, mas que pode levá-lo a se tornar parte de um novo projeto em que você quer muito estar. O que você faz para solucionar esse problema?

@ Tony Robbins vai dar um treinamento que pode ser sua grande virada na vida. Você tem a chance de comprar um ingresso pela metade do preço. Mas mesmo assim não tem absolutamente nada de dinheiro. Qual solução você daria para essa situação?

@ Surgiu uma oportunidade de comprar o apartamento com que você sempre sonhou, mas só poderá fazer a compra com um financiamento por trinta anos. Isso significa pagar o equivalente a três imóveis iguais. O que convém mais: comprar nessas condições ou esperar um pouco mais e procurar um imóvel mais ajustado aos seus recursos? O que você faria, já que aquele apartamento era tudo o que você desejou em seus sonhos?

@ O pneu do seu carro furou, você está na estrada com sua família, em um lugar perigoso. Não dá para todos saírem caminhando até a borracharia. Você tem que decidir entre ficarem todos ali esperando socorro, e até correrem o risco de serem assaltados, ou então procurarem um local mais próximo e seguro, mesmo correndo o risco de rasgar todo o pneu. E agora? Qual é a solução que lhe parece mais adequada?

🎯 O mercado abriu uma oportunidade única, mas ninguém mais viu, além de você. É a sua chance de lançar uma empresa naquele segmento, mas você não tem o capital total de que precisa. É possível procurar um sócio, mas vai ter de contar a outras pessoas sobre a oportunidade e correr o risco de ser passado para trás e usarem a sua ideia. O que você faz?

🎯 Você chega em casa tarde da noite, morrendo de cansaço, e a chave quebra na fechadura da porta, e você fica para fora. O chaveiro mais próximo levaria três horas para chegar – e não daria tempo de você dormir um pouco. Você vai ter uma reunião muito importante na empresa logo na primeira hora. O que você faz? Dorme no carro e vai trabalhar com a mesma roupa? Não vai à reunião e manda um recado se desculpando? Ou dá algum outro jeito? Qual é a solução?

Creio que já deu para perceber que, desde a infância, tivemos de resolver problemas. E vamos ter de continuar resolvendo problemas até morrer. Vivemos em um mundo onde tudo envolve alguma dificuldade, uma decisão e muita ação. Os problemas surgem sempre, antes que possamos viver uma vida mais interessante. É como se fossem um preço a pagar pela nossa felicidade. Nada é possível de se conquistar sem que para isso tenhamos que superar problemas.

Quem aprende a conviver com os problemas e com as dificuldades tem muito mais chances de se tornar um sucesso na vida. Se você acredita que tem um problema, é porque tem algo a conquistar. Com certeza você já tem também as ideias que levarão à solução. Mas você vai ter que agir para resolver o problema. Esse é o preço a pagar pelo que você quer alcançar.

Se quisermos ter sucesso, precisamos nos adaptar prontamente às circunstâncias, à medida que elas mudam. O que acho muito estranho é que a maioria das pessoas considera que uma simples mudança é um problema. A impressão que me dá é que essas pessoas se satisfazem com a estagnação, com o marasmo, com a mesmice de um dia após o outro. Parece até que elas não entendem que as mudanças são necessárias para que o progresso aconteça, para que cada um de nós evolua até o topo do pódio.

É muito comum as pessoas não se adaptarem aos problemas e dificuldades e não conseguirem avançar. Elas desistem de lutar pelo que querem ao encontrar o primeiro obstáculo.

A chave para sermos eficazes em nossa adaptabilidade é, antes de desistir, reconhecer a situação e determinar se é possível mudá-la ou se simplesmente temos que fazer o melhor possível e seguir em frente.

De qualquer modo, os problemas sempre o desafiam a ser mais criativo, mais ousado, mais destemido. São eles que lhe trazem uma vida com sentido de conquista, de objetivos alcançados, suas histórias de sucesso.

Qual a graça que teria se tivéssemos uma vida só de alegrias, sem absolutamente nada para nos desafiar? Certamente teríamos muita gente bem perto de cometer loucuras e de desperdiçar a vida.

As pessoas reclamam que têm problemas, mas não pensam que foram eles que, desde a infância, as tornaram mais fortes e com mais habilidades e capacidades de superar as dificuldades da vida.

São os problemas e os objetivos difíceis que tornam as pessoas melhores, mais responsáveis, mais criativas e muito mais ousadas.

### PERSONALIDADE GOOO UP

Pessoas que foram para cima dos problemas e resolveram. E venceram.

### Stephen King

Stephen King viu seu sonho de ser escritor ir pelo ralo quando seu livro *Carrie* foi rejeitado por dezenas de editoras – depois de anos tentando se projetar como escritor, *Carrie* havia se tornado algo assim como sua cartada final. Com a recusa de seu livro, ele ficou desiludido a ponto de jogar os originais no lixo. A salvação veio a partir do companheirismo e devoção de sua esposa, que recolheu o livro de volta e insistiu com Stephen para que ele continuasse batalhando para publicá-lo. *Carrie* foi somente o primeiro de incontáveis sucessos do autor, que hoje é famoso e bem-sucedido no mundo todo.

# COMO VOCÊ LIDA COM PROBLEMAS?

É bastante provável que você, como qualquer outro ser humano, tenha problemas financeiros, dificuldades no trabalho, desacertos com seus familiares, problemas de crescimento profissional, de relacionamento, dificuldades para tomar decisões, problemas com seus filhos, com seu chefe ou com seus professores, e tantos outros tão comuns ao nosso dia a dia. E qualquer problema não resolvido se transforma em um atraso na sua vida, o que dificulta que você se torne uma pessoa de sucesso, que tenha uma vida mais leve e mais feliz.

Problemas não resolvidos, ou mal resolvidos, são como negócios inacabados. Eles corroem a nossa paz de espírito e impedem que sigamos em frente. É um atraso de vida, pois revivemos os mesmos sentimentos desagradáveis repetidamente. Isso pode impedi-lo de alcançar seus sonhos. Portanto, você precisará enfrentá-los antes de dar os próximos passos, sob o risco de parar no meio do caminho.

Negócios inacabados nos enfraquecem a cada dia, até que sejam definidos, seja para qual lado for. Problemas não resolvidos nos tiram as forças e a direção. Você pode até tentar esquecê-los, reprimi-los, negá-los, mas, toda vez que pensar neles, eles irão assombrá-lo. Todo problema só cumpre o seu papel em nossa vida depois que é solucionado. Nesse caso, ele se transforma em aprendizado e evolução.

Quando tratamos de algum problema, existe uma série de fatores com que temos de lidar que dificultam a nossa eficácia na solução. É bem provável que você reconheça estas situações, acontecendo com pessoas que você conheça ou que simplesmente você observe no seu dia a dia:

- Pessoas com fome de vitória e de uma vida melhor e mais próspera, mas ainda não se sentem à vontade para decidir lutar pelo que sonham.

- Pessoas que buscam se tornar diariamente sua melhor versão, mas esbarram em dúvidas que atrasam seu desenvolvimento.

- Pessoas que "esperam que o mundo acabe em barranco para morrerem encostadas", ou seja, não se dispõem a agir, apenas reclamam e nada fazem.

- Pessoas para quem falta ação na vida, impactando negativamente no seu sucesso.

- Pessoas que procuram ajuda, querem sair de onde estão, buscam um apoio para tomar decisões, mas precisam de algum estímulo externo para colocar em ação tudo o que aprendem.

- Homens e mulheres com fome de vitória, que querem um lugar ao sol, seja pessoal, seja profissionalmente falando, mas não se sentem merecedoras do sucesso.

- Pessoas com problemas agudos, financeiros, familiares, sociais, comportamentais, de negócios, de trabalho.

É preciso "ir para cima dos problemas e dificuldades com naturalidade". É preciso encarar as dificuldades de forma natural, sem medo, sem dúvidas, sabendo como dominar e eliminar o problema.

Nenhum bom resultado desejado vem quando você espera que as coisas aconteçam por si mesmas ou que alguém resolva os seus problemas. É preciso assumir a responsabilidade pela solução do que está dificultando o seu avanço na vida.

Ninguém vai entregar coisa alguma para você de graça ou lhe dar a chave do cofre sem nenhuma contrapartida. Por isso, você tem que ir para cima daquilo que deseja conquistar, tem que assumir o que é seu, tomar as melhores decisões, correr os riscos necessários, assumir maiores responsabilidades, agir com mais intensidade e regularidade e, assim, conquistar mais resultados. Ou seja: GOOO UP!

É importante ter em mente que, se existe um problema, em primeiro lugar você já sabe que ele existe. E se existe, então pode ser solucionado. Você sabe que sempre tem uma maneira de resolver e já é até capaz de visualizar essa solução.

É preciso aceitar a ideia de que, "se você tem problema, você já tem a solução". Exatamente isso: se você sabe que existe um problema, sabe também, pelo menos superficialmente, como resolvê-lo. Em 99,9% das vezes, os problemas só existem quando já se sabe da solução. Quando você diz "isso é um problema", é sinal de que você já sabe como agir de maneira alinhada para resolver aquela situação.

Aceitar que tem um problema e reconhecer tudo o que ele está causando em sua vida é o primeiro passo. Quanto mais você resistir, quanto mais negar a dificuldade, mais o problema vai se fortalecer. Quando você resiste, perde a capacidade de enxergar a solução do problema. De acordo com o escritor e empreendedor Rafael Hernampérez, "A aceitação é uma porta mágica que se fecha para os problemas e se abre para as oportunidades".

Mas lembre-se de que aceitar não significa permanecer passivo e indiferente, simplesmente observando o problema acontecer. Aceitar é se conscientizar do problema, é o movimento inicial para promover a mudança necessária para resolver a situação.

A partir do momento em que se aceita a existência de um problema, passamos para outra fase, em que vamos decidir o que e como fazer para resolvê-lo. Porém, aqui enfrentamos um novo desafio: o medo e a dúvida atrapalham na tomada de decisão e, consequentemente, na resolução do problema.

O medo atrapalha, pois não se sabe o resultado futuro, e a incerteza nos assusta. A dúvida vem da falta de experiência, que impacta na análise necessária sobre como atacar o problema. Vem também quando não temos ninguém próximo com resultado positivo, em uma situação semelhante, para usarmos como modelo de ação. Não temos a quem modelar, nem a quem escutar, para ganhar segurança de agir, mesmo sem termos vivenciado aquelas experiências.

Somos abençoados quando temos ao nosso lado alguém que possa nos orientar e apoiar diante de um problema que não nos sentimos preparados para resolver. Porém, mesmo nesses casos, uma das grandes dificuldades que as pessoas têm é de pedir ajuda. Todos temos momentos de dúvidas, inseguranças e medos, mas poucos compreendem que isso é uma coisa natural no ser humano e que também irá passar. Quando você aceita suas dificuldades, a própria aceitação irá mostrar o caminho da resolução. Algumas vezes vivemos momentos em que fica difícil enxergar sozinhos o que fazer. Esse é o momento de buscar ajuda. Pedir ajuda não significa ser fraco, mas, sim, admitir a sua humanidade e a necessidade de se amparar na experiência de quem viveu experiências semelhantes às que você está enfrentando.

A maneira como se lida com a dúvida, com a insegurança e com o medo é o elemento que define se as pessoas terão sucesso ou não.

Partindo do princípio de que, "se sabemos do problema, então também já sabemos qual é a solução", fica mais simples fazer a gestão do medo, da dúvida e da insegurança. A partir daí, com os riscos minimizados, partimos para a ação que levará à solução.

Outra questão que atrapalha muitas vezes é que as pessoas querem resolver seus problemas sem sentir dor. Mas isso não existe. Todo processo de solução de um problema envolve algum tipo de dor. Mas é uma dor necessária, para que as coisas voltem a funcionar direito e para que você cresça durante o processo de solucionar aquele problema. Afinal, o melhor aço é forjado quando é submetido ao aquecimento extremo e a grandes pressões.

O que é importante lembrar aqui é que sentir dor é diferente de sofrer. Você pode sentir dor ao resolver um problema, e tudo bem. Mas se estiver sofrendo durante esse processo, talvez seja porque aquela solução não faça sentido para você, não seja algo fundamental na sua vida, não seja o que realmente vai lhe trazer os melhores resultados.

É importante pensar nisso quando você tem um problema pela frente e precisa tomar a decisão de ir para cima dele e resolvê-lo. E facilita muito se você tiver em mente um dos preceitos do budismo zen que diz que "A dor é inevitável, mas o sofrimento é opcional".

A dor é parte de nossa vida e, portanto, faz parte também do enfrentamento dos nossos problemas. Mas o sofrimento somos nós que criamos quando não agimos para solucionar uma questão, ou quando hesitamos por medo, ou por outra razão qualquer, e deixamos que uma situação errada, torta, problemática se estenda por mais tempo do que o necessário.

Em resumo, o que quero deixar claro aqui é que resolver problemas pode, sim, causar certa dor. Mas o que causa sofrimento é o medo de tentar seguir em frente, de ir para cima do problema e não dar certo, não conseguir o resultado esperado.

Um exemplo: você está trabalhando em um emprego, descontente, mas permanece ali apenas pelo salário. A pergunta é simples: por que você não resolve esse problema indo trabalhar em algo de que goste e depois ajusta o seu rendimento? Porque você tem medo de não conseguir. E o medo vem de não se sentir capaz, vem de experiências negativas do seu passado, vem de palavras que você ouve ou ouviu da sua família ou do seu marido ou esposa, ou mesmo de negócios que você já tentou antes e que deram errado. Então você acha que aquilo é um bicho de sete cabeças e não entende que apenas é preciso simplesmente usar o melhor de si para superar aquela situação. Mas o medo faz com que você continue sofrendo, porque não tem coragem e iniciativa para resolver o problema.

É preciso entender que, se existe um problema, seja qual for, como você já sabe, ele tem solução. Apenas pode estar acontecendo de você não querer pagar o preço para resolvê-lo, ou pode querer apenas pagar o menor preço possível.

O que existe na mente das pessoas é a falta de certeza na tomada de decisão, por medo de sofrer e dúvida sobre que caminho tomar. Por isso, uma forma de você superar essa situação é buscar dentro de si mesmo uma emoção que desperte o seu poder interno, que irá gerar a certeza de que você é capaz. Quanto mais você acreditar estar preparado, mais você tomará melhores decisões. Quanto mais decisões assertivas você tomar, mais crença na sua capacidade de superar problemas você gera. As melhores decisões vêm com a certeza e a convicção.

Por meio do método GOOO UP, de forma simples, será possível fazer uma gestão funcional das ações para resolver o problema e tomar a melhor decisão, no melhor momento, para que o seu resultado seja sempre mais efetivo, para que você se sinta mais forte e poderoso e possa seguir em frente com suas grandes conquistas e a realização de seus sonhos.

Você estará pronto para adotar todas as ações que o levarão a ter sucesso e, ao mesmo tempo, atrair para o seu time pessoas realmente comprometidas com a solução de todas as dificuldades. Como disse o escritor e empresário norte-americano Paul Hawken, "Uma boa gestão é a arte de tornar os problemas tão interessantes e suas soluções tão construtivas que todos querem trabalhar e lidar com eles". Isso é GOOO UP.

**PERSONALIDADE GOOO UP**

Pessoas que foram para cima dos problemas e resolveram. E venceram.

### The Beatles

Os quatro rapazes de Liverpool foram recusados mais de uma vez pela Decca Records e ainda tiveram de ouvir que eles não haviam gostado de suas músicas, que eles jamais teriam sucesso e que músicas com guitarras não tinham futuro. Por incrível que possa parecer, seu baterista inicial saiu do grupo e teve outro que se recusou a fazer parte do quarteto. Realizaram uma peregrinação por diversas gravadoras e foram recusados em todas elas. Mas eles nunca desistiram. Foram para cima dos problemas, e o restante você já sabe.

# POR QUE AS PESSOAS NÃO RESOLVEM SEUS PROBLEMAS?

Para efeito de facilitar o entendimento do que estamos conversando, podemos classificar as diversas causas que levam as pessoas a não resolver seus problemas como sendo relacionadas aos tópicos a seguir.

**É IMPORTANTE COMPREENDER QUE PROBLEMAS SÃO DEGRAUS NA ESCADA PARA O SUCESSO.**

Como já comentei nos capítulos anteriores, as pessoas em geral não compreendem que ter problemas não é algo ruim e que, na verdade, eles trabalham a nosso favor. Não existe problema do qual você não tire aprendizado, experiências e resultados. Sejam esses resultados negativos ou positivos, tudo serve para o seu fortalecimento, para ampliar suas habilidades para o enfrentamento de novas situações que surgirão na sua vida.

Nada é por acaso. Todo problema tem uma razão de ser e um porquê de estar em sua vida. A questão é que muitas vezes a pessoa acha que, por ter problemas, isso significa que ela é ruim, ou faz tudo errado. Na verdade, todos temos problemas, mas tudo depende de como vemos o que nos acontece, ou o que surge na nossa vida. A maneira como você vê e lida com os problemas é o que o diferencia do restante das pessoas.

Ser um solucionador hábil de problemas é o que faz você ter a vida que quer. Se não fosse essa habilidade, você estaria fadado ao fracasso, ou entregue à indiferença ou à "boa vontade" de terceiros.

As pessoas de sucesso entendem que cada resolução de problema traz com ela uma grande oportunidade de aprimoramento. As experiências são incorporadas à vivência do indivíduo, e seu aprendizado é ampliado. O valor de cada experiência se soma, e o resultado é um ganho acumulado que o leva para os próximos níveis do sucesso.

## Nada mais que uma porta na cara

Fui vendedor ambulante, de porta em porta, durante muito tempo, ultrapassando oito mil visitas efetivas na apresentação a clientes, apenas contabilizando os produtos de seguros. Tive experiências marcantes trabalhando com o Baú da Felicidade, além de outras vendas, como de enciclopédias, purificadores de água e tantas outras. Mas a mais forte foi mesmo minha atuação na venda de seguros de vida porta a porta. Foi nessa área que desenvolvi minha arte de ir para cima dos problemas.

No início do meu trabalho com seguros, o mercado não me via como amador, como era de se esperar. Eles me viam como alguém que "estava indo com muita sede ao pote", o que tinha um peso negativo, pois o pessoal mais antigo do ramo se sentia incomodado, porque imaginava que, com a minha atuação, teriam de se mexer mais para ter algum resultado em suas vendas.

Como seria de se esperar quando procuramos um emprego, ou mesmo nos candidatamos a fazer uma representação de uma empresa, o procedimento seria essa empresa avaliar nossas condições, nossa preparação e nossa capacitação para o cargo pretendido. E então decidir se vão trabalhar conosco, ou não. Mas, no meu caso, tudo o que acontecia era me darem uma resposta padrão: "Infelizmente, não podemos trabalhar com você".

Dentro dessa realidade, diariamente eu batia em todas as portas de seguradoras, desde as gigantes, as regionais, as pequenas, até as multinacionais que estavam se instalando no país.

Na verdade, eu ainda esbarrava em outra dificuldade, que não me havia ocorrido: como eu tenho o nome igual ao de meu pai, que já estava no mercado de seguros havia mais de trinta anos, existiam algumas restrições quanto a fazerem negócios comigo. Explico: os executivos de seguros, em sua vasta maioria, não acreditavam que eu estava em voo solo; imaginavam que estaria a serviço de meu pai, para ver os novos produtos dos concorrentes e depois oferecê-los no mercado com melhores condições. E era daí que vinha grande parte da dificuldade de eu conseguir alguma negociação também. Sempre surgia certo diretor que não autorizava fazerem negócios comigo porque, segundo ele, "eu não tinha experiência com a empresa deles" – o que era uma total incoerência, porque, se eu estava apenas começando naquela profissão e eles me recusavam uma oportunidade, como é que eu poderia vir a ter alguma experiência com a empresa?

É claro que, não sendo conhecido no mercado por meu desempenho e experiência profissional, eu precisava de alguém disposto a me dar uma oportunidade e então me avaliar na prática. E foi isso que, enfim, o diretor de uma empresa de seguros, Sr. Gaspar Machado, fez. Ele me deu a grande chance que eu precisava para entrar no mundo dos seguros – algo pelo qual serei eternamente grato a ele. E, é claro, aproveitei aquela oportunidade para me empenhar no trabalho e fazer acontecer o meu sucesso. A partir daí, não havia problema algum que fosse insolúvel para mim. Eu os atropelava, um a um, e seguia em frente. E as dificuldades não foram poucas.

No início de meu trabalho com a venda de seguros, eu visitava muitos funcionários públicos. Eles tinham a facilidade de trabalhar com desconto em folha de pagamento, o que me garantia a tranquilidade de receber minhas comissões sem que houvesse contratempos de falta de pagamento por parte dos clientes.

Só que nesse caminho descobri que existia "uma máquina viciada" que mandava nos negócios, e eu, ainda muito amador, não tinha me atentado para isso. O que mandava naquele meio eram os relacionamentos de "amigos antigos" e a típica política da boa vizinhança, que definia o que se devia fazer, de quem se devia comprar, e assim por diante, mesmo que para isso se perdessem bons negócios. Ainda havia aquelas pessoas que tinham "o poder da caneta" e definiam com quem se fechavam os negócios.

Em outras palavras, era como se eu nem mesmo estivesse presente naquele mercado. Vivia batendo de porta em porta e nada. Até que um dia resolvi testar algo diferente e, depois disso, encontrei o caminho para a solução dos meus problemas.

Decidi que iria pegar os piores produtos das empresas ou os lançamentos, aqueles que não vendiam mesmo, que não saíam da prateleira, e que iria vendê-los. De certa forma, estava arriscando mais, porém, me candidatando também a ganhar mais. Esses produtos, em geral, eram mais caros e pagavam maiores comissões. Era uma boa possibilidade para que eu pudesse me sustentar, mesmo que fossem produtos mais difíceis de vender. Quando passei a negociar usando esse discurso, os diretores e demais executivos acabaram fazendo algumas concessões, pois, se desse certo, eles também seriam beneficiados.

Era tudo de que eu precisava para fazer acontecer. Estava encarando um alto risco de fechar de vez todas as portas para mim, se desse errado. Eram produtos que tinham os piores resultados de vendas e sem possibilidades de ótimos benefícios que seriam facilitadores para vendas aos clientes, embora a comissão fosse muito maior do que a média. E eu estava entrando de cabeça nessa empreitada.

Comecei a trabalhar nisso com técnicas de vendas e um método que eu mesmo havia desenvolvido, tomei vários tombos, enfrentei muitas dificuldades, mas o que aconteceu? Acertei em cheio a veia do negócio.

A estratégia deu tão certo que outras empresas passaram a fazer contato comigo para que eu passasse a oferecer seus produtos de menor giro, produtos com maior rentabilidade para elas, mas que ainda não saíam de suas prateleiras. Minha especialidade passou a ser encontrar compradores interessados no que havia de bom em produtos que tinham pouco giro, mas que tinham embutidas vantagens reais, muitas vezes desconhecidas dos usuários.

É assim que o método GOOO UP funciona: ajudando-o a encarar situações difíceis, resolvê-las e ainda, como lucro extra, aprender muito sobre o caso para usar esse conhecimento em situações semelhantes no futuro. Por exemplo, acompanhe a seguir quais foram os grandes ensinamentos que tirei dessa situação:

@ Entendi que me unir com os supostos inimigos era melhor do que lutar contra eles. Com minha empresa ainda nascendo, eu não tinha condições de competir com a concorrência para ter uma oportunidade de vender produtos ótimos e bem construídos, que todo mundo queria.

@ Um dos momentos mais importantes é quando se aceita que o problema existe. Quando isso acontece, você passa a ver a dificuldade por outros ângulos. Nesse caso que contei, pegar a pior situação existente foi uma forma de me tornar visto, lembrado e respeitado, para posteriormente poder negociar algo mais interessante para o meu negócio.

@ Quando somos pequenos, iniciando no mercado, temos chances de ver as alternativas mais lucrativas que existem, com produtos que não fazem parte do interesse dos grandes concorrentes, que apenas querem negociar com os "filés" do mercado. E isso nos dá uma possibilidade de crescimento rápido, coisa que os grandes não têm.

@ Tamanho não é documento, mas velocidade é. Velocidade é o diferencial. Na natureza, nem sempre é o maior que come o menor, mas sim o mais rápido que come o mais lento. Essa situação é muito forte. Por isso, aproveite enquanto você é pequeno para avançar de forma exponencial na sua conquista e ganhar espaço com crescimento rápido em mercados não explorados. Os ganhos sempre são maiores onde falta exploração. E você sempre pode colocar o seu preço, pois sempre haverá quem pague.

**Veja bem:** os problemas ajudam o nosso desenvolvimento e nos tornam mais capazes para acharmos caminhos que outras pessoas normalmente não procurariam. Mas é preciso estar disposto a aceitar os problemas como seus aliados, seus motivadores para o crescimento, e não como algo que atrapalhe o caminho.

Problemas não são punições. Ao contrário, eles são presentes disfarçados, que chegam num momento em que você está pronto para receber. Quando eles acontecem, não conseguimos ver os problemas com bons olhos porque a primeira coisa que eles afetam é o nosso estado emocional. Eles nos chocam, nos colocam em um estado de transição em que não conseguimos ver nenhuma saída. Mas com a aceitação do problema, quando tudo passa, percebemos que fizemos uma tempestade em copo d'água, que o problema nem foi tão grande assim, que nem perdemos tanto assim e que, afinal, a vida continua, e saímos dele um pouco mais experientes e mais preparados para o próximo passo.

Quanto mais se tem dificuldade de entender que os problemas são uma base para as suas conquistas, mais se distancia do que se deseja. A cada dificuldade encontrada, vivenciada, percebida e da qual você participa de alguma forma, mais se fortalece com as experiências que ficam registradas na sua vida e na sua mente. Essas experiências, unidas à sua força de vontade e aos seus desejos, poderão ser utilizadas como uma escada para o seu sucesso.

A verdade é que cada problema funciona como um degrau de preparação para você conquistar aquele algo mais que tanto deseja. Nada é por acaso nesta vida, tudo tem uma razão de ser, e até mesmo os problemas, que tantos procuram evitar, agem como molas propulsoras para o seu sucesso.

No momento em que você aceitar que um problema é um desafio que faz parte da sua preparação, para que se torne capaz de não deixar passar as grandes oportunidades, para minimizar o risco de pôr a perder seus empreendimentos, você entenderá a importância desse processo, e isso, sim, fará toda a diferença na sua vida.

> **Pense: quem tem mais valor no mercado, ou na vida:**
> A) Quem só vive de teoria?
> B) Quem tem a experiência prática?

TODO PROBLEMA QUE SURGE PELA FRENTE O AJUDA A
APRENDER NA PRÁTICA O CAMINHO DO SUCESSO.

## EXISTE UMA CRENÇA QUE DIZ QUE "APENAS ALGUMAS PESSOAS PODEM SE TORNAR UM CASO DE SUCESSO".

Não acredito que apenas algumas pessoas têm condições de chegar ao sucesso, mas acredito que somente algumas delas fazem por merecer se tornar *cases* de sucesso. Essas pessoas que estão no caminho do sucesso são aquelas que sabem solucionar problemas, sabem tomar as melhores decisões, sabem e aceitam o fracasso como parte do processo de crescimento. Enquanto as outras, aquelas que correm para o fracasso, costumam colocar suas vidas ao léu, deixam tudo ao deus-dará, sem assumir a responsabilidade pelas decisões que têm de tomar e pelas ações que têm de empreender.

Atualmente estamos muito acostumados "ao culto do que nos enfraquece". Ou seja, a sociedade foca diariamente, em rádios, jornais e mídias em geral, no vitimismo, nas desgraças, nas tristezas e crises, e ninguém fala sobre sucesso, prosperidade, crescimento. A verdade é que falar de sucesso não vende... Mas falar de desgraças vende muito.

A sociedade é baseada na influência do meio em que está inserida, por isso, existem as crenças de que tudo é complicado, é difícil, que nascemos apenas para sobreviver, que rico é ladrão, que rico é mau-caráter e tem que ter passado a perna em alguém para ganhar tanto dinheiro, e tantas outras crenças negativas. A sociedade nos impacta de modo negativo, e isso dificulta muito nos mantermos na trilha do sucesso.

Conquistar o sucesso na sociedade em que vivemos nunca pareceu tão difícil. É preciso fazer uso de muitas estratégias para que nossa motivação nos mantenha confiantes na direção de nossos sonhos. Além dos tantos fatores negativos externos, que nos chegam por meio dos veículos de comunicação de massa, ainda temos que lutar contra as nossas próprias limitações.

De fato, a mídia vende muito mais com as notícias ruins do que com as boas. Porém, alguma vez já paramos para nos perguntar por que a mídia tem tanta gente comprando essas notícias? Essa reflexão é muito importante para que a gente aprenda a estabelecer uma demanda daquilo que realmente queremos.

E o que é que queremos? Se a mídia colocasse apenas notícias boas, artigos motivacionais, dicas para o sucesso, será que ela teria a mesma resposta? Ela, na verdade, está respondendo ao nosso interesse, mesmo que todos continuem afirmando que estão cansados de notícias ruins e que gostariam de ver mais notícias boas.

Se você pensar que o momento em que mais recebemos atenção ou damos atenção para alguém é quando existe uma doença, fica fácil de compreender isso, não é mesmo? Se estiver tudo bem com a gente ou com a pessoa com quem convivemos, muitas vezes saímos de casa e nem sabemos a roupa que a outra pessoa estava usando quando as deixamos. Vivemos no automático, até que uma doença ou um acidente ocorre, e então tudo muda.

Penso que assim é com as notícias ruins também. Tem um lado da gente que quer saber mais sobre o que está acontecendo de errado do que sobre o que está acontecendo de certo. Assim, é preciso que nos responsabilizemos por aquilo que de fato gostaríamos de ver nos meios de comunicação, aquilo que queremos ver na nossa vida. Se deixarmos de querer ver sangue, eles terão que mudar.

É importante que sejamos um agente de mudança para vivermos no mundo em que gostaríamos de viver. Quando apontamos o dedo para a mídia, não estamos fazendo nenhuma mudança. Mas se deixarmos de colaborar com a venda das notícias ruins, poderemos ter uma chance, mesmo que leve algum tempo para que a mudança se realize.

Aqueles que descobrem o caminho do sucesso compreendem que devem direcionar seu pensamento e sua energia para coisas positivas. E uma vez que entram por esse caminho, não querem mais sair dele. Sempre digo que você pode até não saber aonde quer chegar, mas certamente sabe para onde não quer mais voltar.

## As pessoas deixam de tomar decisões por medo e dúvida.

Durante mais de 25 anos como vendedor e mais de vinte liderando times de vendas diretas, o que mais vi foram pessoas extraordinárias, com algo a mais que poderia fazer uma grande diferença, mas que, por medo e dúvidas nos momentos de decisão, perderam oportunidades que poderiam ter ampliado muito seu sucesso e sua vida, de forma positiva.

Quando questionei esses profissionais, ouvi-os dizer, com frequência, que não tinham a visão de que o momento seria ideal para entrar de cabeça no projeto. Diziam que não tinham certeza se era isso mesmo que tinham de fazer naquele momento.

Não ter certeza, a meu ver, significa somente uma coisa: a pessoa não tem a convicção de que é preciso porque tem algum tipo de medo que a impede de tomar a decisão necessária, no momento oportuno. O medo paralisa, e sonhos e vidas que poderiam se tornar extraordinárias não acontecem. Pessoas que poderiam se tornar verdadeiros mitos e referenciais em seu mercado simplesmente ficam relegadas a um segundo plano, por puro medo. E um círculo vicioso se forma: o medo gera a dúvida, e a dúvida reforça o medo.

Enfrentar nossos medos é uma das coisas mais gratificantes que conheço. O medo nos paralisa, nos impede de explorar e desenvolver o nosso melhor. O medo é algo muito poderoso, tanto que toda manipulação das massas acontece basicamente por meio do medo. É o medo de perder o emprego, o medo de ser multado, medo de ser roubado, de fracassar, de ficar doente, o medo de não ter dinheiro suficiente, medo de envelhecer, medo de morrer, enfim. São tantos os medos que a gente nem consegue mais saber o que é real ou o que é imaginário.

Mas quando nos propomos a enfrentar nossos medos, ganhamos a liberdade, porque descobrimos o nosso verdadeiro potencial. Por isso que para o sistema é importante que tenhamos medo, porque é como ele nos mantém feito marionetes, seguindo uma vida do nascimento até a morte, sem nem mesmo saber de verdade quem somos e do que realmente precisamos para ser felizes.

Quando você compreende que a tomada de decisão é um produto de alto valor agregado na vida e nos negócios e é fundamental para você resolver seus problemas e ter mais sucesso, começa a se movimentar para superar o medo e a dúvida, de modo que possa continuar progredindo. A sua vontade de ter uma vida melhor e mais produtiva precisa ser maior do que os seus receios de falhar ao enfrentar seus problemas.

## EXISTE UMA FALTA DE COMPREENSÃO DA NATUREZA DO PROBLEMA.

Existe, entre as pessoas, a falta de compreensão da verdadeira natureza de todo problema. Assim como tudo na vida, a natureza dos problemas também é dual: quando você tem um problema, já tem também a solução. Esta é a verdade com que você precisa lidar: os problemas trazem em si mesmos o caminho para que sejam solucionados. Então, a primeira coisa a fazer é analisar e compreender direito o problema que você tem em mãos.

Porém, grande parte das pessoas não quer nem mesmo aceitar que um problema existe, simplesmente porque não acredita que sabe como ou tenha condições de solucionar aquela situação. Afinal, sempre é mais fácil negar algo que nos pareça complicado do que ter de assumir a responsabilidade por resolvê-lo. Assim, elas ignoram o problema, ou não veem possibilidades de solução, quando percebem uma dificuldade à sua volta.

Porém, é importante entender que negar algo complicado é jogar fora a oportunidade de aprender com o desafio. A vida, com sua bondade, nos oferece a cada dia a oportunidade de explorar e experimentar o melhor de nós. Sem desafios a vida fica sem graça, a gente só vai repetindo as mesmas coisas, perde a motivação, porque fica entediado. Aceitar desafios é viver uma vida em sua totalidade, é descobrir qualidades que a gente não veria se não fosse por eles. Com os desafios, cada dia é um novo dia; cada responsabilidade, uma forma de superação e orgulho.

Para lidar com um problema, antes de tudo é preciso aceitar que ele existe, que está acontecendo. Depois, precisamos entender de que forma ele nos afeta – existem problemas que não nos afetam de forma alguma, e, por isso mesmo, para nós é como se eles não existissem.

O grande complicador ao analisar um problema é que existe certa dose de vitimismo tal nas pessoas que faz com que imaginem situações complicadas, que estão muito longe da realidade. Nesses casos, costumo dizer que elas têm um "pré-blema", ou seja, vivem temendo algo que nem existe, ficam amarradas a um possível problema futuro que talvez nem venha a existir. Mas o vitimismo é mais forte e toma conta da pessoa, como se ela precisasse ser assim para sobreviver.

O vitimismo existe porque as pessoas associam os problemas a muita dor e sofrimento. Mas não precisa ser assim, porque pode até haver alguma dor ao lidar com uma situação difícil, mas o sofrimento não é algo obrigatório. Quando identificamos um problema, automaticamente já percebemos também qual é a solução para ele. Então, de alguma forma já sabemos o caminho a percorrer para resolver aquela situação e, portanto, não há por que sofrer com isso.

Infelizmente, muitas vezes, por não querermos nos indispor com outras pessoas ou tomar decisões que afetariam os outros, abrimos mão da solução de nossos problemas e preferimos apenas ficar reclamando por eles existirem. Nesse caso, sim, a dor existe e traz muito sofrimento, porque um problema não resolvido sempre causa consequências ruins.

Por isso, é importante ter sempre em mente que qualquer problema pode ser solucionado e, desse modo, vir a se tornar um aliado seu na construção da sua estrada para o sucesso.

### PERSONALIDADE GOOO UP
Pessoas que foram para cima dos problemas e resolveram. E venceram.

## Walt Disney

Disney era constantemente demitido de seus empregos e foi, inclusive, taxado de não ter criatividade. Faliu em seus empreendimentos; seus trabalhos foram recusados em diversos estúdios. Passou por fases tão ruins financeiramente que precisou comer ração de cachorro e tomar banho somente uma vez por semana, em uma estação de trem. Perdeu praticamente tudo, mas não perdeu seus sonhos e sua vontade de lutar por eles. Deu a volta por cima e hoje agradecemos muito por ele ter ido para cima dos problemas e conquistado o sucesso.

# APRENDA COMO RESOLVER QUALQUER PROBLEMA

Com o método GOOO UP, que consiste na maneira certa de você tomar decisões para a solução de problemas e dificuldades, é possível transformar situações difíceis em alavancas para suas grandes conquistas.

A prática da superação conseguida com o uso da metodologia GOOO UP torna possível avaliar melhor cada situação, decidir corretamente e seguir em frente, até onde o seu sucesso se encontra.

Gosto muito de lembrar isso às pessoas que oriento, dizendo, de modo bem divertido: "Probleminha ou problemão, o método GOOO UP é a solução!". Assim fica muito claro na mente das pessoas que todo problema tem solução e que nós temos um método que ajuda a resolvê-los.

O método GOOO UP leva em conta dois pontos fundamentais para superar dificuldades, resolver problemas e chegar ao sucesso: 1- Avaliar se o problema é real, ou não; 2- Atacar os problemas e dificuldades reais com assertividade, determinação e foco na solução.

### 1- Avaliar se o problema é real, ou não.

Para resolver problemas, é preciso dominar seus comportamentos, ter experiência, saber quais são as influências que você sofre e ter visão de para onde quer ir. Só assim é possível manter os pés no chão enquanto a mente trabalha procurando uma solução. Cada experiência passada serve de base para as suas decisões, e todas as influências que recebeu, pelas quais passou ou que gerou somarão pontos para que você tenha um resultado positivo.

Porém, uma das coisas mais importante, desde o início, é saber avaliar, na essência, de onde o problema vem, se ele é seu ou se você o comprou de alguém e está se sabotando com isso, ou talvez mesmo se o está usando como desculpa para o seu medo do sucesso. Existem muitas outras coisas no seu dia a dia particular que geram uma falsa sensação de realidade sobre o problema. Portanto, é muito importante estar alerta quanto a isso.

Toda vez que se acredita que há um problema, é necessário avaliar se ele existe mesmo ou se apenas é uma cortina de fumaça para outros fatores, por exemplo, o medo de tomar uma decisão, por mais simples que seja.

Muitas pessoas se apegam a um problema porque adoram fazer o papel de vítimas e, dessa forma, acabar gerando um sentimento de pena nos outros. Assim, se acham no direito de não agir, de não fazer nada, porque afinal "são apenas vítimas do destino". Esse é o tipo de comportamento que torna a realidade nebulosa e impede a pessoa de ver a realidade como ela é.

Como consequência, sempre que é necessária uma tomada de decisão, a pessoa não quer assumir essa responsabilidade e nada faz. Isso parece mais lógico e simples para essas pessoas porque é sempre mais fácil criar um problema imaginário do que assumir que não quer fazer algo e ser taxado de irresponsável, amador, sem profissionalismo.

## Vivendo de ilusão

Quando eu tinha 16 anos, fui emancipado para que meu pai pudesse colocar sua empresa de seguros no meu nome. É claro que achei que estava abafando, mas tudo não passava de uma alternativa para meu pai, pois ele tinha outro grande negócio no mesmo ramo e queria evitar um conflito de mercado.

Na verdade, eu não era dono de nada. Era apenas o filho de um empresário conhecido. Eu estava no mercado, mas não era bem-sucedido e ainda por cima tinha o mesmo nome do pai. Isso era péssimo, porque no mercado o que contava era a fama do meu pai, e não o meu valor. Até quando eu chegava em uma seguradora ou cliente era comum ouvir alguém dizer: "Quem é que pode atender o filho do Alberto?". Eu simplesmente não existia naquela história.

Quando fiz 19 anos, fiz uma proposta para meu pai para que me deixasse assumir a empresa dele, sugerindo a ele que se aposentasse. E recebi aquela clássica resposta: "Como é que você vai querer tocar meus negócios, se ainda nem mesmo sabe se limpar direito?" – não sei por que, mas, para a maioria dos pais, os filhos sempre serão crianças e nunca estarão preparados o suficiente para assumir responsabilidades no mundo.

Naquele momento resolvi abrir meu próprio negócio e viver dos meus próprios recursos, já que eu não tinha autonomia para agir do jeito que achava que devia – afinal, eu não concordava com muitas das coisas que meu pai fazia na área de vendas, e tinha certeza de que minhas ideias eram mais modernas e mais adequadas às mudanças que estavam acontecendo no mundo daquela época.

Mas é claro que eu também exagerei na minha ilusão, fantasiei demais e tive que pagar o preço da minha pouca experiência. Tive que enfrentar muitas dificuldades – inclusive financeiras, pois acabei ficando sozinho, por minha própria conta e risco – e acabei aprendendo muito, sim, mas por meio da dor.

Esse foi, na verdade, o meu primeiro GOOO UP, que apliquei para resolver meus problemas. É claro que eu não podia voltar atrás, voltar para a casa de meu pai, não queria dar o braço a torcer. Por isso, a minha única saída foi partir para cima dos problemas e dificuldades e atropelá-los com toda a minha força de vontade.

Tive que abrir uma empresa nova, do zero, que não tinha nome nem credibilidade no mercado, o que tornava muito difícil para que eu pudesse fechar negócios. Além disso, ter o mesmo nome que meu pai normalmente era um transtorno – sim, porque naquele mercado tinha quem o amava, mas também tinha quem o odiava. E me apresentar com o mesmo nome dele não costumava ser algo que me facilitasse a vida. Mas não adiantava chorar. Não iria ser me lamentando que eu faria sucesso. Eu tinha mesmo é que ir para cima dos problemas e acabar com eles.

Comecei a vender de porta em porta, sozinho, pegando experiência, aprendendo, criando uma forma só minha de trabalhar. E depois que minha metodologia ganhou consistência e se mostrou eficaz, passei a dividi-la com outras pessoas e juntos construímos um crescimento, pouco a pouco, mas com consistência.

Entendi e aprendi que, para conseguir ter sucesso, precisaria saber o que realmente desejava, quais eram as dificuldades, os inimigos, os amigos, em quem podia confiar, os recursos de que dispunha e o quanto teria de me envolver nesse processo e qual seria o peso desse meu envolvimento.

Mas é importante entender que o sucesso é algo particular de cada um de nós e não tem a ver com o sucesso de ninguém mais. Cada um tem que se perguntar e descobrir o que chama de sucesso. Se pensarmos que o sucesso é algo que, quando chegamos nele, nos proporciona satisfação, prazer, orgulho e felicidade, então é possível descobrir que ele pode estar mais próximo do que você imagina.

Por exemplo, imagine uma confeiteira que se comprometa a fazer um bolo. Ela se certifica de que tem todos os ingredientes e todo o material de que vai precisar e, se não tem, ela providencia. Quando ela coloca seu foco e se concentra em fazer o bolo sair de acordo com a receita, ela se responsabiliza por cada passo na execução desse bolo. No momento em que ele fica pronto, isso dá a ela uma tremenda satisfação, prazer, orgulho e felicidade. Então, para ela isso é ter sucesso.

O sucesso não está no tamanho daquilo que você consegue fazer, ou aonde você consegue chegar. A vida é feita de pequenos sucessos que lhe oferecem a mesma satisfação que você teria com um grande sucesso. E é importante saber reconhecer e se dar os parabéns por todos os seus pequenos sucessos. Se você não valorizar e curtir esses pequenos sucessos, também não vai saber valorizar e curtir as grandes conquistas. E a única diferença entre os grandes e os pequenos é que os grandes sucessos dão mais ibope porque as outras pessoas podem ver e invejar.

Mas se você quer o sucesso, é preciso saber onde é que ele está para você, e não para os outros. O seu sucesso tem a ver só com você. Depois, se lhe der satisfação compartilhar com os outros, é uma escolha que cabe só a você fazer. Mas o mais importante de tudo é que você busque o seu sucesso pessoal, único e intransferível.

Para mim, desde cedo descobri que o meu sucesso e a minha felicidade vêm de resolver problemas. Por isso, voltando à minha história, lembro que procurei me manter firme e forte enquanto ampliava a minha visão do método GOOO UP, avaliando a cada passo para decidir o melhor rumo a seguir. Estava em minhas mãos o destino da empresa. Se eu fizesse tudo de maneira certa e diferenciada, ela sobreviveria e teria sucesso. Se eu não me mostrasse competente o suficiente, teria que fechá-la.

Passaram-se mais de duas décadas e acumulamos mais de noventa prêmios no setor, demonstrando que realmente valeu a pena e que o método GOOO UP é mesmo um sucesso. Hoje somos reconhecidos no mercado, somos fonte de referência, todos conhecem nosso diferencial e nos aplaudem.

Quais são as grandes lições deixadas por esse episódio? Acompanhe a seguir:

◎ O problema de eu ser rejeitado no mercado não existia da forma que eu imaginava. Na verdade, eu não era alguém que não tinha condições de trazer os melhores resultados. Eu era apenas alguém que queria algo diferente, que ultrapassava a realidade daquele momento. E isso mexia com a vaidade das pessoas.

◎ O mercado não me via como amador, mas sim como alguém sedento demais. Ir com muita sede ao pote pode assustar as pessoas. E assustou: aquele meu jeito de agir trazia um peso negativo, pois levava o pessoal mais antigo da área de seguros a se incomodar, porque imaginavam que teriam de se mexer mais para ter seus resultados.

◎ Muitas vezes você tem uma única chance e tem que aproveitá-la. Não adianta se lamentar de falta de sorte e, quando surge uma oportunidade, jogá-la no lixo. Eu recebi uma oportunidade de ouro, dada por um grande empresário, naquela época em que ninguém nem sequer prestava atenção ao que eu dizia. Quando recebi essa oportunidade, eu a aproveitei com todas as forças que tinha e fiz acontecer algo positivo em minha vida.

◎ Como não havia como eliminar o problema de minha imagem ser de amador, inexperiente, até mesmo pela pouca idade que eu tinha, assumi que teria que atropelar esse problema. Resolvi me aliar aos supostos inimigos e provar para quem tinha voz ativa no mercado que eu podia gerar resultados reais e significativos.

◎ Aceitei minha realidade e fui me preparar para o que viria pela frente. Empreendi ações que me colocaram em destaque: vendia mais do que todos os concorrentes, visitava mais clientes do que outros vendedores, aprendi com minhas experiências e criei um método de trabalho.

◎ Criei uma metodologia de trabalho forte e eficaz – e até hoje no mercado não existe nada igual ou comparável. Esse método se tornou o grande modelo na organização em que atuo, de maneira que superamos constantemente todas as médias do mercado, em termos de resultados.

O ponto que é importante perceber aqui é que, nesse episódio que narrei, como em qualquer episódio da sua vida, existiam problemas a serem enfrentados e resolvidos. E a solução que encontrei faz parte do método GOOO UP, faz parte da clareza de que é preciso ir para cima dos problemas com vontade e determinação se você quer realmente vencer na vida.

## 2- ATACAR OS PROBLEMAS E DIFICULDADES REAIS COM ASSERTIVIDADE, DETERMINAÇÃO E FOCO NA SOLUÇÃO.

Sempre é melhor partir para o ataque, seja qual for a solução dos problemas e dificuldades. É sempre a melhor forma de resolver. Eu não falo de colidir ou conflitar com o problema, falo de agir imediatamente depois de ter avaliado a melhor forma e a mais assertiva de tomar uma decisão para resolver a situação.

A grande maioria das pessoas apenas prorroga os problemas pela falta de avaliação sobre eles, e outras tantas pessoas se eximem de resolvê-los sem nem mesmo validar o tamanho dos efeitos que eles podem gerar. Cada causa de um problema gera diversos efeitos negativos se não for sanada.

É preciso ter foco no resultado e também na jornada que será feita. Tudo conta e tudo traz benefício. É assim que se resolvem de verdade os problemas que surgem na nossa vida.

Penso que tanto o processo quanto o resultado sejam partes importantes na resolução de um problema. Focar no resultado é o fator que nos motiva, pois na nossa imaginação já visualizamos o problema resolvido com sucesso, o que é um bom começo. Porém, não podemos ficar focados apenas naquilo que ainda não aconteceu, que ainda está apenas no mundo das ideias. Chegar lá vai depender de certas atitudes e ações para que a solução se materialize. E é quando focar no processo ganha sua importância, pois uma solução verdadeira só será alcançada por meio dos passos bem dados durante o processo, que inclui, além de conhecimentos detalhados do problema e dos fatores que o afetam, muita ação, dedicação e criatividade.

O método apresentado neste livro foca na solução do problema, mas também considera a importância da jornada até a solução final. Por isso ele é o alicerce forte que embasa a solução de qualquer problema ou dificuldade.

O método GOOO UP surgiu a partir da minha experiência na solução de muitos problemas ao longo da vida, relativos a família, falta de dinheiro, colegas de trabalho, negócios ruins, ações erradas, casamento, sócio complicado ou parceiro difícil, filhos, falta de vendas, falta de experiência, falta de parceiros bons, falta de produtos de ponta e tudo mais que se possa imaginar e pelo qual acredito que todos já passaram ou ainda irão passar.

A metodologia GOOO UP é diferente de outras formas que as pessoas usam para atacar um problema. E é por isso mesmo que ela se destaca. O método GOOO UP tem um poderoso passo a passo, ordenado e organizado de acordo com as questões a serem resolvidas durante o processo de resolução de um problema.

As ferramentas apresentadas neste livro mostram, de maneira justa e realista, de que forma, em que momento, por qual motivo – e tantas outras coisas a que normalmente não nos atentamos – cada fator deve ser avaliado antes de se tomar uma decisão. Usando o método GOOO UP vamos estar sempre jogando com estratégias e ações que levarão a resultados muito além dos esperados.

O importante é compreender que não são as pessoas que são incapazes ou que não estão em condições de resolver seus problemas, mas sim que são as ações delas que são mal colocadas ou seus recursos que são mal utilizados, ou utilizados nos momentos inadequados.

Com exceção das pessoas com dificuldades reais que as descapacitam para determinadas atividades, todos nós temos capacidade de resolver problemas. Muitas pessoas, porém, se sentem incapazes de tomar qualquer decisão diante de seus problemas, principalmente porque entram num processo emocional de desespero que só faz com que a situação piore ainda mais.

Quando os problemas acontecem, é preciso uma mente tranquila para enxergá-los como eles realmente são e poder encontrar a melhor forma de resolvê-los. É preciso se permitir um tempo para refletir, para ver o que é possível fazer e também para pedir ajuda se for preciso.

Todo problema tem solução, e todos temos as ferramentas necessárias para resolvê-lo. E agora, você tem também o GOOO UP, ferramenta poderosa na solução de qualquer problema.

O importante é ter clareza sobre qual é a sua responsabilidade sobre determinado problema e fazer a sua parte. Fazendo bem a sua parte, você irá colaborar para que outros responsáveis façam a parte deles e finalmente cheguem todos juntos à melhor solução possível, seja qual for o problema que vocês estiverem enfrentando.

Seguindo a lógica do método GOOO UP, torna-se bem mais fácil a aceitação da sua responsabilidade pela situação e pela forma de agir com base no que deve ser realmente feito na prática.

O método vai ajudar a minimizar o medo, o risco e a falta de tempo. Ele ajuda a verificar a real situação, suas causas e quais os efeitos que podem surgir a partir dali. E com isso o ajuda a compreender e dominar melhor a situação.

O método GOOO UP vai ajudá-lo a desmistificar a ideia de que problema é algo ruim e vai lhe mostrar que é apenas algo não compreendido na sua essência e qual é o seu real motivo. Aplicando o método, você vai se tornar capaz de enxergar quais são os ganhos, as alegrias e os benefícios da solução do problema e vai compreender o quanto ele realmente é positivo como ferramenta para o seu progresso pessoal e profissional.

Portanto, não há por que olhar para um problema como uma desgraça; ele deve ser visto como uma possibilidade de ganho a partir do fato de o problema existir. Não é simplesmente uma questão de desmistificar o problema, mas sim de validar os ganhos derivados da solução do problema e minimizar a dor gerada por ele. É tudo uma questão de gerar um ganho maior do que a dor que o problema eventualmente pode ocasionar.

Por exemplo, imagine que uma pessoa viva um casamento infeliz e não se separe por medo de não encontrar algum relacionamento melhor. A cada dia que o problema passa sem ser resolvido, a situação é mais agravada, o problema é ampliado, expandindo-se até que um dia você se veja obrigado a agir para minimizar todo o mal que aquela situação está causando.

Uma das alternativas seria verificar o que de fato tem de particularidade naquela situação que a está deixando tão crítica: pode ser algo a ver com o dinheiro, ou o amor não ser mais correspondido, ou ainda os filhos, que têm dado mais preocupações do que o casal suporta, ou outro motivo qualquer que afete o relacionamento do casal.

Nesse caso, é importante saber que todos esses problemas podem ser ajustados, minimizados e resolvidos. O dinheiro você consegue, mais cedo ou mais tarde; os filhos crescem, se ajustam e vão viver a vida deles; o amor pode ser restaurado, ou, se for o caso, até mesmo ser trocado por outro, com uma separação, caso essa seja a alternativa mais adequada para os dois parceiros. Mas, de maneira simples, o que deve ser levado em consideração é como é melhor que tudo seja resolvido, para que todos tenham benefícios no futuro.

Todas as ações devem ser direcionadas para as opções nas quais existe menor conflito, de maneira a minimizar o sofrimento e o medo mesmo que a situação não possa ser solucionada da maneira como você gostaria que fosse.

**PERSONALIDADE GOOO UP**

Pessoas que foram para cima dos problemas e resolveram. E venceram.

## Mary Kay Ash

A fundadora da famosa marca de produtos de beleza Mary Kay não nasceu em berço de ouro. Casou-se aos 17 anos e, quando seu marido foi lutar na Segunda Guerra Mundial, teve de se virar para garantir o sustento de seus três filhos. Trabalhou como vendedora de livros de porta em porta e, depois de sofrer com atitudes machistas em seu trabalho, resolveu deixar a empresa. Ao se organizar para ajudar outras mulheres no mercado de trabalho, Mary acabou por desenvolver um plano de negócios que lhe permitiu construir sua marca, que acabou se tornando mundialmente famosa.

# COMO IR PARA CIMA DOS PROBLEMAS

Muitas pessoas me perguntam o que tem de valioso em querer atropelar os problemas, ir para cima deles, não deixar que eles tomem conta e dominem nossa vida. Eu respondo: se você não atacar o problema, ele vai atacar você. Simples assim. Ou você manda nele, ou ele o domina. Ou você compreende que tem que ir para cima dele ou ele usa você. Em outras palavras, se algo é um problema, você tem que resolver de alguma forma e de preferência com assertividade, validando as variáveis que ele apresenta.

Não há dúvida de que enfrentar um problema envolve comprometimento, responsabilidade e muito trabalho até que ele seja resolvido. Por isso, para muitas pessoas, é muito mais fácil ignorar o problema, fingir que ele não existe ou então ficar esperando que ele se resolva sozinho. Porém, cada problema ignorado tem um custo, que muitas vezes pode ser bem alto. Isso porque é impossível ignorar totalmente um problema. Ele fica apenas reprimido em algum lugar de nossa mente, até que em determinado momento volta ainda mais forte, na forma de ansiedade, estresse e muitas vezes até depressão. Assim, quanto mais cedo você enfrentar o problema, menor serão a dor e o custo a pagar.

Não se engane: existe algo dentro de você que é capaz de superar qualquer coisa, qualquer dificuldade, e isso é o que o faz dar um GOOO UP nos problemas.

Na grande maioria das vezes, no passado, eu usava apenas algumas técnicas para superar os problemas. Depois que desenvolvi uma metodologia na íntegra para avaliar a real situação de cada dificuldade e de ter enfrentado tantas situações complicadas ao longo minha vida, sejam pessoais, sejam nos negócios, descobri que conhecer bem o problema é o primeiro passo para "ir pra cima deles" e resolver tudo de forma definitiva.

Então, estes serão seus primeiros movimentos para se preparar para um perfeito GOOO UP em seus problemas. Pegue papel e caneta e vamos trabalhar um pouco com alguns passos simples que nos ajudarão a conhecer direito a situação e a dificuldade que estão complicando a sua vida. É muito importante que todas as respostas às questões dadas e todos os passos desta estratégia sejam executados por escrito.

*1- Você já passou por algo pior ou mais difícil que o problema ou dificuldade que está enfrentando agora?*

Se sim, então este passo vai ajudá-lo a sentir o poder que tem, pois, se teve algo pior que você já enfrentou, então é perfeitamente capaz de enfrentar também a situação atual.

Para que fique com ainda mais poder interior, recomendo que você escreva o problema maior pelo qual passou e depois detalhe como o resolveu. Lembre-se da satisfação e da sensação de vitória que você teve ao superar aquele problema. Sinta essa energia novamente.

Caso você ainda não tenha enfrentado um problema ou dificuldade maior do que o que tem atualmente, imagine qual seria o maior problema ou dificuldade que você poderia enfrentar e diga como o resolveria. Isso vai lhe dar segurança para voltar ao problema ou dificuldade atual com mais confiança e determinação para resolvê-lo.

*2- Se esse problema ou dificuldade tivesse aparecido em um outro momento de sua vida, em qual momento ele teria sido de maior dificuldade?*

Pode ser na época do nascimento de um filho seu, ou quando você começou em seu novo emprego, ou quando uma oportunidade surgiu na sua vida, ou mesmo quando você se casou. O importante é que você perceba que, se esse problema de hoje tivesse aparecido em certa época diferente, teria sido muito mais difícil lidar com ele e resolvê-lo.

Uma dica é escrever o problema ou dificuldade de maior gravidade pelo qual você está passando e logo em seguida escrever a frase "ainda bem que este probleminha não veio a mim 'na época tal'...".

*3- Escreva todas as vezes em que você conseguiu superar algo* – mesmo que não tenha sido um grande problema – de forma rápida e sem procrastinação. Escreva abaixo de cada problema quais foram os seus ganhos por tê-lo resolvido. Use um esquema como o do modelo a seguir:

**a - Problema ou dificuldade que resolvi:**

_____

_____

Ganhos que obtive:

_____

_____

_____

**b - Problema ou dificuldade que resolvi:**

_____

_____

Ganhos que obtive:

_____

_____

_____

**c - Problema ou dificuldade que resolvi:**

_____

_____

Ganhos que obtive:

_____

_____

_____

*4- Cite algum suposto problema* ou dificuldade que você, ao solucionar, descobriu que não era tão assustador quanto você imaginava. Era apenas algo normal que você mesmo aumentou para ficar mais preocupado do que precisava.

_____

_____

_____

*5- Liste os problemas ou dificuldades* que você lembra que alguém pediu para você ajudar a solucionar ou dar alguma dica sobre o que fazer – e que você ajudou, e os problemas foram resolvidos. Descreva os problemas e as soluções que você sugeriu.

**a - Problema ou dificuldade:**

_____

_____

Solução que sugeri e funcionou:

_____

_____

_____

**b - Problema ou dificuldade:**

_____

_____

Solução que sugeri e funcionou:

_____

_____

_____

**c - Problema ou dificuldade:**

_____

_____

Solução que sugeri e funcionou:

_____

_____

_____

**d - Problema ou dificuldade:**

_____

_____

Solução que sugeri e funcionou:

_____

_____

_____

Descobri que, durante muito tempo em minha vida, me sabotei quando falava de problemas ou dificuldade. Porém, depois que comecei a fazer esses exercícios, mesmo quando as coisas pareciam bem feias na minha visão, na grande maioria das vezes ganhei poder e força para traçar uma solução que fizesse sentido.

Habituando-se a usar os passos desse exercício, você vai perceber que cada um deles servirá para que tenha a convicção de que nada é impossível, uma vez que você provavelmente já solucionou coisas piores e já ajudou muitas pessoas a resolverem seus próprios problemas ou dificuldades.

É claro que, quando você colabora para resolver um problema ou dificuldade de outras pessoas, a visão é diferente de quando o problema ou dificuldade é seu mesmo. Porém, basta que seja criterioso ao analisar se a decisão, nesse caso, seria a mesma que você sugeriu a outra pessoa que adotasse. De qualquer modo, o fato de já ter encarado um problema ou dificuldade semelhante, mesmo que de outra pessoa, já lhe dará experiência para lidar com seus próprios problemas ou dificuldades de forma mais assertiva.

Costumo dizer que os problemas ou dificuldade são a nossa preparação para superar algo no futuro. São eles que nos ajudam a adquirir os conhecimentos, as habilidades, a visão e o poder de resolver situações mais graves, mais delicadas, mais complicadas. Resolvendo problemas, adquirimos a certeza de nossa capacidade de superar qualquer obstáculo e conquistar tudo o que desejarmos.

É importante estarmos conscientes de que todo problema traz uma mudança e que mudanças tendem a trazer certo sofrimento no início. É preciso entender que essas mudanças vão exigir de nós força, determinação e paciência, já que incluem períodos de transição às vezes complicados, que requerem um tempo maior para adaptação. As pessoas bem-sucedidas abraçam a mudança e tomam as decisões necessárias para fluir com ela. Pessoas malsucedidas não só temem as mudanças, como também as negam ou se escondem delas.

Tendo isso em mente, será mais fácil enfrentar problemas à medida que aparecerem, já que sua experiência e sua confiança na sua capacidade de trazer resultados acabam encurtando seu tempo de resolução e lhe devolvendo o controle dos problemas, para que eles deixem de ser um obstáculo no caminho do seu sucesso e bem-viver.

Nossa capacidade e nosso poder aumentam quando assumimos o controle das coisas. Aprendemos a antecipar os riscos, enfrentar o medo, minimizar a autossabotagem e fazer uma avaliação mais profunda e assertiva da realidade e dos problemas ou dificuldades.

Para resolver problemas ou dificuldades, sempre vale lembrar aquele velho ditado que diz que "é melhor o ataque do que a defesa". Por isso, GOOO UP neles!

**PERSONALIDADE GOOO UP**
Pessoas que foram para cima dos problemas e resolveram. E venceram.

## Charles Schulz

Desde os tempos de escola, Schulz vinha tendo suas tiras de desenho recusadas. Nem mesmo no anuário ou no jornalzinho escolar lhe davam uma chance. Mas o seu sonho era se tornar desenhista e cartunista profissional. Embora fosse talentoso, até mesmo a Disney o recusou. Insistiu no seu trabalho, foi para cima de cada problema que surgiu em seu caminho, até que criou Snoopy e toda a sua turma e finalmente o mundo cedeu ao seu talento e criatividade. As tiras de desenho que ele produziu acabaram sendo publicadas em mais de setenta países.

# O MÉTODO GOOO UP

A primeira coisa que você precisa saber é que qualquer método deve ser aplicado na íntegra. Qualquer alteração, ou alguma parte não executada, pode afetar o processo e você não conseguir todo o resultado que poderia obter.

Por outro lado, independentemente do problema ou da dificuldade, nada poderá prejudicar o resultado se você tiver a convicção de que o método funciona e aplicá-lo na íntegra, passo a passo.

Ao longo de mais de vinte anos como profissional de vendas e comandando uma organização que passou por vários reveses para se manter posicionada com diferencial competitivo, tive que fazer dezenas de análises com esta ferramenta para que pudesse tomar a decisão mais acertada. Claro que muitas vezes nem tudo saiu exatamente como eu gostaria, mas pelo menos o risco foi muito menor, facilitando ainda nas decisões futuras.

Chamo o método GOOO UP de "o poder de ir para cima dos problemas e dificuldades" – antes que eles venham para cima de você. Com ele é possível colocar cada coisa no seu lugar para depois tomar uma decisão mais assertiva e racional.

Porém, é muito importante frisar que toda causa gera mais de um efeito. Isso significa que cada ponto a ser tratado deverá ser efetivado com a intensidade, clareza e consistência que forem necessárias, para eliminarmos a possibilidade de tornar o que poderia ser uma solução em um problema ou dificuldade ainda maior.

Faça sempre o que deve ser feito, da maneira como é recomendado. Não invente moda. O método GOOO UP foi testado por mais de duas décadas e está alinhado de modo a ser utilizado em qualquer situação. Ele pode ser usado na sua vida pessoal ou profissional, no preparo para a tomada de uma decisão futura ou mesmo na tomada rápida de decisão do dia a dia, ou ainda para analisar uma situação passada, como exercício e aprendizado de lições importantes, a partir do que você já viveu.

Existem quatro pontos que considero extremamente importantes para uma tomada de decisão, e sugiro que você se lembre sempre deles e os leve em consideração:

1 - A sua experiência passada, que é o que tem o maior peso entre todos.

2 - A experiência prática de outras pessoas.

3 - Sua intuição sobre o assunto, desde que alinhada à experiência de outras pessoas.

4 - O que você leu, estudou ou aprendeu, seja de que forma for.

Cada um dos pontos dessa sequência está diretamente ligado ao que você passou, aprendeu, sabe ou imagina, ou mesmo que lhe disseram, ou ainda a alguma crença ou intuição que você tenha. Cada um deles tem sua relevância na sua tomada de decisão e exige uma forma de ação específica.

Um ponto que deve ser respeitado com rigor é a ordem como você vai analisar a sua tomada de decisão e com base no que exatamente. É muito importante seguir a sequência listada acima, para a análise do problema. Tome muito cuidado, pois muitas vezes sua intuição poderá ser colocada à frente da experiência prática de outras pessoas, ou da sua própria experiência, e você acabar decidindo pelo "achismo", o que pode complicar ainda mais a situação que você esteja enfrentando.

Eu mesmo já perdi muito tempo, dinheiro e muitas outras coisas importantes por não me atentar a essa sequência, ou querer ficar na adivinhação, "achando que eu era um mago e que podia tirar soluções da cartola".

Tem um velho ditado que diz: "Para que complicar, se você pode simplificar?". A maneira de simplificar a resolução de um problema é seguir um método que comprovadamente funcione, sem querer inventar soluções mirabolantes, que você nem sabe ao menos se têm chance de dar certo. Lembre-se: as pessoas de sucesso sempre simplificam as soluções.

Agora você tem à sua disposição a metodologia GOOO UP como um todo e muitos exemplos de como aplicá-la. Isso vai colaborar para que você possa encontrar a melhor maneira de aproveitar essa maravilhosa ferramenta, que já me salvou de algumas grandes enrascadas e de problemas e dificuldades muito maiores.

Portanto, você já tem como resolver seus problemas e dificuldades de um modo muito mais eficaz. Por isso, aproveite a oportunidade para aprender com cada dificuldade que surgir pela sua frente. Lembre-se sempre de que, antes de ser uma dificuldade, um empecilho ou um obstáculo, um problema é uma experiência a ser aprendida, uma preparação para a sua vitória, um desafio momentâneo que você vai superar, uma oportunidade de ver novos ângulos para o seu crescimento. Em resumo, um problema lhe dá o preparo e a chance de sair e ficar à frente de todas as outras pessoas que estejam lutando para conseguir o sucesso que você busca.

A grande verdade é que os problemas o fazem crescer, e com eles você se torna muito mais poderoso e determinado. E falando em poder e determinação, vou apresentar agora para você a principal ARMA para resolver os seus problemas.

## PERSONALIDADE GOOO UP
Pessoas que foram para cima dos problemas e resolveram. E venceram.

## Steve Jobs

É praticamente impossível encontrar alguém que nunca tenha ouvido falar de Steve Jobs, ou pelo menos não tenha tido contato com os produtos que ele concebeu e ajudou a criar e produzir. Porém, sua história passa por momentos críticos, como o fato de ele ter desistido da escola e também ter sido dispensado da própria empresa, aos trinta anos de idade. No entanto, ele considerou essa "queda" como algo positivo. Foi graças a ela que mudou a sua forma de agir e entrou num dos períodos mais criativos da sua vida. Jobs deu a volta por cima, fez dos problemas molas propulsoras para o seu sucesso e aprendizado, voltou para a Apple e ajudou a empresa a entrar em um dos seus períodos de maior sucesso no mundo todo.

# A.R.M.A. – ACEITAÇÃO, RECONHECIMENTO, MAPEAMENTO, AÇÃO

Quando sabe como e de que forma é possível solucionar qualquer problema ou dificuldade, você pode ter coisas inimagináveis e se tornar quem sempre sonhou.

As pessoas têm um preconceito com relação aos problemas, pensando que eles são empecilhos e que são difíceis de resolver. Portanto, tornar isso simples e prático faz com que a pessoa encontre mais oportunidades, corra menos riscos, tenha mais certeza de que se algo der errado terá mais chances de se ajustar e resolver a situação.

Pessoas que vão para cima dos problemas e das dificuldades com naturalidade têm uma vida muito melhor do que aquelas que ficam com medo, ou mesmo em dúvida, quando precisam tomar uma decisão mais assertiva.

O GOOO UP é uma metodologia para resolver problemas ao longo da sua vida e da sua carreira e conquistar resultados espetaculares. Uma "máquina" para resolver problemas de forma simples, prática e objetiva, com as ações certas nos momentos mais apropriados.

É perfeitamente possível que as pessoas se tornem sua melhor versão e sejam muito mais capazes de solucionar os problemas que as impedem de conquistar seus sonhos, metas e objetivos. Para isso, em primeiro lugar, é preciso acreditar que não somos todos iguais e que o nosso comportamento é o grande diferencial de tudo.

Todos nós somos seres únicos. Quem nos fez não deixou nenhum rastro, nenhuma possibilidade de se fazerem cópias. A maior prova da nossa unicidade é a nossa impressão digital. Não existe absolutamente ninguém no mundo que tenha a mesma impressão digital de qualquer outra pessoa. Imagine quão único é cada um de nós!

Se tivermos plena consciência de quão únicos somos, não haverá jamais a necessidade de comparação. Haverá, sim, apenas a necessidade de explorar e descobrir cada vez mais as qualidades que compõem essa nossa unicidade.

O sucesso sem dúvida está muito mais próximo das pessoas que conhecem suas características únicas, pois elas não perdem tempo em seguir a multidão, não investem energia tentando copiar ninguém. Investem tempo e criatividade para se conhecer melhor, para viver mais de acordo com o que acreditam, e não com aquilo que os outros querem que elas acreditem.

E assim, quanto mais se conhecem, mais se diferenciam e se destacam dos outros, porque liberam o seu lado mais autêntico em tudo o que fazem. Tudo aquilo que é autêntico se destaca aos olhos da gente. E esse é o nosso maior presente e a nossa maior responsabilidade desde que viemos para este mundo.

O domínio de nossos comportamentos é uma questão básica, que se fortalece e é validada com a nossa experiência de vida, com a influência que sofremos das pessoas e da família, pelo nosso histórico de resultados. Tudo isso constrói a nossa visão de vida.

Sendo prático e objetivo, vou apresentar-lhe agora a fórmula para resolver e superar qualquer problema e dificuldade na sua vida. O método utilizado neste livro para a solução de problemas de maneira eficaz pode ser resumido à seguinte sigla:

A.R.M.A. – ACEITAÇÃO, RECONHECIMENTO, MAPEAMENTO, AÇÃO.

Costumo dizer que forneço para as pessoas a ARMA para resolver qualquer problema. Vamos ver isso com detalhes.

## ACEITE QUE O PROBLEMA EXISTE

O primeiro passo para se resolver qualquer problema é aceitar que ele existe. Enquanto você estiver negando o problema, nada vai fazer para solucioná-lo.

Uma das coisas mais insanas que tenho visto é quando a pessoa tem um problema e tenta mentir para si mesma, negando aquela dificuldade que está atrapalhando a sua vida. Fica naquela ilusão de que é impossível que aquilo esteja acontecendo e "se finge de morta", quando na verdade deveria estar fazendo algo para solucionar aquela situação.

Esse é um assunto bastante delicado, porque traz, na maioria das vezes, o sentimento de impossibilidade de solucionar o problema. Sem a aceitação prévia do problema ou da dificuldade, o desgaste frente à situação será ainda maior – porque, se você acredita que não existe problema, jamais irá se movimentar para eliminar algo que esteja atrapalhando o seu sucesso.

Existem diversas razões pelas quais as pessoas se recusam a aceitar a existência de um problema. A seguir, vou listar apenas algumas delas. Sugiro que você avalie por quantas dessas possibilidades já passou e o quanto elas dificultaram a sua tomada de decisão:

- *Vergonha* – é comum que uma pessoa, quando tem um problema, tenha receio de admiti-lo por vergonha do que os outros irão pensar a seu respeito, principalmente se for algo que "pareça um tanto banal". O receio de virar motivo de chacota de seus amigos, colegas de trabalho, ou mesmo de seus familiares, faz com que muitas vezes a pessoa prefira negar a existência do problema. A não aceitação do problema pela vergonha da exposição ou por medo do ridículo é causa que atrasa a solução, sendo motivo inclusive de provocar muitas derrotas, sem que nem ao menos se tenha tentado solucionar a situação. O pior de tudo é que o fato de o problema não ter sido resolvido, em geral, se transforma no principal motivo causador de vergonha para aquela pessoa que se omitiu quando o problema se apresentou.

- **Medo de compartilhar** – este é outro fator que está sempre associado com a falha e a dificuldade de solucionar um problema. Como a pessoa não tem ainda certeza de que a situação é realmente um problema e, ao mesmo tempo, não tem segurança nem liberdade de compartilhar com outras pessoas, ela passa a considerar aquela dificuldade como "um fantasma". Porém, ele sempre retorna para assombrá-la e nunca sairá de sua vida enquanto não for resolvido. À medida que o tempo vai passando e se aproxima a hora de tomar uma decisão, cada vez mais a pessoa se sente em xeque e pressionada. É natural que o ser humano, quando não tem convicção sobre algo, procure compartilhar suas dúvidas, para se sentir mais seguro quanto às suas decisões. Portanto, guardadas as devidas providências de segurança – isto é, de procurar a pessoa certa para se assessorar –, é melhor que a pessoa compartilhe o quanto antes suas dúvidas, pois quanto mais tempo passar, maior será a angústia que irá se formar. E isso é uma coisa que não colabora com a solução de problemas e dificuldades, pois esse sentimento é capaz de barrar o sistema nervoso e fazer a pessoa literalmente "travar", ficando totalmente improdutiva e sem iniciativa que a tire dessa situação.

- **Prefere ser pego de surpresa** – é aqui que começa o grande jogo do desespero. Você não quer tomar uma decisão agora pois tem um bloqueio quanto a pensar incansavelmente no problema. Então prefere ser "pego de surpresa" e, quando isso acontece, por pura pressão da situação, sai no desespero para tentar fazer algo para resolver tudo. Nesse momento, você sai cantando aquela musiquinha antiga da Xuxa, que dizia "Tudo o que tiver que ser será...". Como se você não tivesse absolutamente nenhuma responsabilidade sobre a situação. Mas, como será possível perceber, agindo assim, além de não resolver o problema, a pessoa vai acumular tanto pavor e insegurança em um só momento que terá crise de pânico, que vai resultar em gastrite, úlcera, diarreia, tonturas, dores de cabeça e tantos outros males psicossomatizados. Preferir ser pego de surpresa pelos problemas é o mesmo que optar por uma bomba atômica na cabeça, de uma só vez, em vez de enfrentar dores menores, embora constantes.

- **Não sabe lidar com a situação** – toda vez que um problema aparece e a pessoa não sabe lidar com ele, ela prefere não aceitar a situação. Por isso, acaba procrastinando uma tomada de decisão. É incrível, mas as pessoas não compreendem que o produto mais caro do mundo é a tomada de decisão. Uma decisão certa, na hora devida, pode fazer toda a diferença do mundo. Por exemplo, responda: se você estivesse em um avião que está caindo, só que você tem a chance de se salvar, mas para isso vai ter de pagar todos os bens materiais que tem na vida. Você pagaria? É lógico que sim. Porque essa é a decisão certa a ser tomada. Perceba que, quando você sabe tomar a decisão, o problema não é um problema. Porém, quem não sabe o que deve ser feito, não sabe lidar com os problemas e dificuldades, tende a não tomar as decisões necessárias.

- **Prefere terceirizar** – não é preciso nem falar que a melhor coisa do mundo é não ter um problema ou dificuldade com seu nome, não é verdade? Só que para isso, para não ter que assumir um problema, muita gente tem tendência a terceirizar tudo o que for possível. Quando a pessoa encontra uma chance, por menor que seja, de terceirizar um problema, a tendência natural é que não aceite aquele problema como sendo dela – afinal, ela já achou um jeito de colocá-lo na responsabilidade de outra pessoa. A partir desse momento, mesmo que tenha 99% de probabilidade de que o problema seja seu, só o fato de ter a chance de 1% de ser de outra pessoa já faz com que se prefira eliminá-lo da mente, passando adiante a responsabilidade por ele.

"Isto não é problema meu!" No momento em que você alega isso, é quando começa a sua autossabotagem e a sua autoenganação – sim, porque, quando você aponta um dedo para outra pessoa, existem outros quatro dedos da sua mão que estarão apontando para você. Depois que você encontra uma "cobaia" para quem jogar o problema, não vai mais aceitar que ele existe na sua vida – o que pode levá-lo a ter grandes prejuízos. Então, tenha muito cuidado com isso.

Sempre procuro verificar "quanto por cento" do problema é de minha responsabilidade. É como ter ações de uma empresa: se você tem mais de 50,01% das ações, então você é majoritário, ou seja, é responsável mais que qualquer um pelo que acontece na empresa. Dessa mesma forma, costumo olhar para os problemas: se mais de 50,01% do problema são responsabilidade minha, então eu tenho que tomar a frente para resolvê-lo. Mas tenha sempre o cuidado de analisar também outros fatores, para definir sua posição. Por exemplo, se você tiver uma pequena parcela de responsabilidade sobre o problema, mas ainda assim tiver mais a perder que as outras pessoas envolvidas, então você tem que se colocar à frente da força-tarefa para resolvê-lo.

Coloquei aqui apenas alguns pontos que considero importantes para você pensar e avaliar qual é o seu posicionamento diante de um problema e como pode se comportar de modo mais proativo. É importante ter a consciência de parar de se autossabotar, para não perder o melhor momento e a melhor forma de resolver seus problemas.

Quanto mais você tem problemas, mais você aprende a superá-los. Todo problema tem um ciclo natural, e a experiência que você adquire ao resolvê-lo servirá para que tenha mais facilidade para resolver os próximos. Essa é a base principal do conceito GOOO UP, de ir para cima dos problemas e superá-los.

## RECONHEÇA AS PARTICULARIDADES DO PROBLEMA

Precisamos avaliar as particularidades do problema e entender se ele é de sua responsabilidade, em que momento de sua vida ele foi criado, qual a razão pela qual surgiu. Avaliar de onde ele vem, em que estágio está, se é pessoal ou profissional, etc.

Ainda é de grande importância verificar se o problema é realmente seu, ou se você apenas o está assumindo de outras pessoas. Só assim será possível que esteja totalmente dedicado a resolver aquelas situações que realmente dependem de você, de sua intervenção, de suas ações e decisões.

Você já sabe que precisa aceitar o problema ou a dificuldade, caso contrário, além de piorar a situação, nada vai acontecer no sentido de resolver o que está errado. Só que depois vai precisar se atualizar e verificar onde de fato o problema se encaixa e quais são as particularidades dele, para somente então seguir em frente na solução.

Considero esse passo como a chave para lhe dar uma direção e começar a traçar mais precisamente o caminho e as ações necessárias e definir o quanto e como o problema poderá ser minimizado, ter sua complexidade desmontada e as facilidades de resolução serem reconhecidas. A seguir vamos analisar algumas particularidades desse tema e ilustrar como você deve avaliar cada problema.

- ***Quando o problema foi diretamente criado por você*** – é primordial que você seja verdadeiro nesse quesito. Nesse caso, se você criou o problema diretamente com suas ações prévias, uma ótima ideia é fazer uma revisão do problema, isto é, voltar lá para o início de suas ações e reconstruir a sua caminhada. Dessa maneira, será possível verificar se existe alguma ação específica neste momento, contrária às anteriores, que você poderia pôr em prática e ajudar a solucionar a questão.

É muito importante que faça esse exercício, pois, se criou o problema, você também tem condições de eliminá-lo, corrigindo alguma ação equivocada que tenha feito anteriormente.

Perceba que, se você criou um problema, isso não significa que seja uma pessoa ruim ou incapaz, mas simplesmente quer dizer que alguma ação sua não foi correta e não surtiu o efeito necessário para que o problema não existisse. Tem muita gente que se condena e se castiga, achando que é incapaz, ou que não faz nada certo, e isso, além de não ser verdade, ainda não ajuda em nada quanto à solução do problema. Na verdade, não é a pessoa que é inadequada, mas sim a ação promovida que não foi a mais assertiva. Por isso, a melhor forma de lidar com isso é não condenar a si mesmo e seguir em frente na busca pelas soluções.

Dando sequência a esse processo, descubra então se o problema foi criado por você e depois responda a três questões importantes:

1 - Você tinha experiência prévia necessária sobre a ação que adotou na hora em que o problema ocorreu?

2 - A ação adotada foi integralmente sua, ou alguém participou dela junto com você? Quem participou, se for esse o caso?

3 - Se pudesse voltar no tempo, o que faria de diferente antes de o problema acontecer?

Avalie todas essas informações. Com isso você poderá ter uma percepção e, de forma inteligente, tomar uma nova decisão que leve a solucionar ou minimizar as dificuldades. Finalize o processo criando uma ação, especificamente naquele ponto em que algo deu errado, visando corrigir o resultado indesejado que ocorreu.

- **Quando o problema poderá ser extinto pelo tempo** – aqui temos algo que precisa ser muito bem avaliado! Quando falo sobre "o problema ser extinto pelo tempo", estou dizendo que é interessante você verificar se consegue conviver com ele até que "se imploda" por si só. É bastante difícil que um problema se torne autodestrutivo, mas existem vários casos em que isso acontece – portanto, se o problema for suportável e não muito prejudicial, talvez o melhor caminho seja que ele anule a si mesmo.

    Vou citar um caso como exemplo: quando alguém honesto e responsável, por algum motivo excepcional, acaba tendo problemas financeiros e, de repente, não consegue mais pagar seus compromissos, seu nome vai para o SPC. Não adianta a pessoa "se matar", ou ficar sem dormir, porque isso não vai ajudar a resolver a questão. É preciso continuar firme, seguir com a vida, até que tudo vá se ajustando. Nesse caso, o tempo pode até mesmo ser favorável, pois melhora a disposição dos credores para negociar a dívida e, em muitos casos, consegue-se até mesmo algum desconto para quitar os compromissos. Perceba que não estou falando para a pessoa ser um devedor "caloteiro", mas apenas apontando que, no caso de negociação de dívidas, existe uma tendência dos interesses dos envolvidos de levar para uma negociação que favoreça a solução do problema.

- **Descubra se é um problema real ou algo criado pela sua mente** – tem muita gente que tem o hábito de reclamar. O tempo todo reclama que está cheia de problemas, quando na realidade a vida dela é até mais simples do que a de outras pessoas. Essas pessoas se fecham tanto nesse negativismo que nem mesmo conseguem falar de algo bom, nem mesmo compreender que elas mesmas existem, ou qual é o sentido da vida delas.

  Existem pessoas que criam uma infinidade de coisas para se mostrarem como vítimas do destino. Afinal, elas precisam ser vítimas para se sentirem melhor, acham que sendo vítimas atrairão a atenção das pessoas sobre elas, e acabam colocando na cabeça problemas que não existem.

  Pessoas assim não veem razão para fazer as coisas. Seus pensamentos giram mais ou menos em torno de absurdos. Algo assim parecido com "pensar que não devem ir trabalhar, ou tomar banho, ou estudar, porque vão morrer de qualquer forma". É claro que estou exagerando no exemplo, mas essas pessoas não percebem que sua maneira de pensar não tem nenhum cabimento, e somente ficam focadas no vitimismo.

  É preciso ter claro que, se o problema que você enfrenta é real, pode acarretar algo físico, afeta o seu dia a dia, então realmente você tem que buscar resolver com firmeza e urgência. Porém, se é algo só da sua cabeça, algo de menor importância, mas a que você tem dado relevância demais, talvez você apenas precise mudar a sua forma de pensar.

- Agora, se você tem uma recorrência grande de ficar vendo problemas onde não existem, então é preciso que cuide também disso. Procure ter isso claro e dê o rumo certo para cada coisa. Algo mental e algo real são casos que exigem soluções de formas bastante distintas.

- Sua mente poderá fazê-lo superar uma montanha, ou fazê-lo morrer caminhando no plano. Depende de como você vê o problema. Esteja atento, porque quanto mais força der a um problema, mais ele vai se expandir.
- Muito cuidado com isso, pois esse é um dos grandes dilemas que muitas pessoas enfrentam.

- *Defina se é um problema da grande família ou apenas de sua família* – sua família é composta daquelas pessoas que têm ligação direta com você, como seu marido ou esposa, filhos, seus pais. Já a grande família envolve seus primos, sobrinhos, tios e outros parentes mais distantes.

Se você observar bem, vai perceber que a grande família sempre lhe traz algum tipo de problema, normalmente sem muito fundamento. Sempre tem um primo, ou sobrinho, ou uma cunhada que arruma confusão, e sobra para você resolver. Vejo isso acontecendo na maioria das vezes em que encontro pessoas com problemas e dificuldades familiares.

Geralmente isso é uma coisa meio sem nexo, pois começa com uma conversa de corredor e então surgem as fofocas, comentam daquele tio que está com uma amante, do cunhado que maltrata sua irmã, daquele primo que se meteu com más companhias e agora incomoda toda a família. Dali a pouco, tudo fica uma loucura, e geram-se desentendimentos e problemas.

Mas o que é mais preocupante é que é exatamente a sua grande família que normalmente traz um desconforto maior para você, muito mais do que a própria família mais próxima faz. Assim, você acaba vivendo uma vida que não é sua pelo simples motivo de não saber dizer "não" e acabar se envolvendo nos problemas dos outros.

Por isso, meu conselho é acostumar-se a dizer "não". Tenha essa palavra como seu grande trunfo para não comprar os problemas de ninguém, ou pelo menos não deixar que o envolvam nos problemas alheios, que não lhe dizem respeito.

Se o problema é nitidamente da grande família, saiba avaliar isso com frieza e objetividade e perceba que você não tem nada a ver com o assunto. E pare de se preocupar ou se remoer com os problemas deles.

Não estou falando de você ser uma pessoa má, mas sim de não comprar o problema dos outros. Essa também é uma forma de ajudar essas pessoas, pois, se você não resolver os problemas delas, pode ter certeza de que eles vão se virar e cada um vai resolver seu próprio problema. Assim, todos vão crescer, e você não ficará sobrecarregado de problemas e preocupações.

- *O problema já existe, ou somente há a possibilidade de ele vir a existir?* Esse assunto sempre tem relevância porque, na grande maioria das vezes, o problema nem sequer existe e as pessoas já começam a se apavorar com a possibilidade de ele ocorrer. Costumo chamar essa situação de "pré-blema", ou seja, ficar antecipando um problema que não está fundamentado, que não tem existência real. Isso é algo que acaba gerando sérias dificuldades, porque as pessoas começam a gastar energia em algo que é apenas uma hipótese e tiram a energia das coisas que realmente importa resolver.

Quando um "pré-blema" não é avaliado da maneira certa, ele se torna maior do que realmente parece ser. É o mesmo mecanismo do famoso "pré-conceito", que inibe a capacidade da pessoa de avaliar adequadamente determinadas situações e, dessa forma, impede que ela dê o seu melhor na vida, profissional ou pessoalmente falando.

Portanto, avalie com objetividade se um problema já existe de fato e, se for esse o caso, GOOO UP nele: ataque-o com este método, para resolver de vez a situação.

Porém, se o problema se mostrar apenas como um "pré-blema", verifique o tempo em que ele eventualmente poderá vir a ocorrer, ou se não vai efetivamente ocorrer, quanto tempo você terá que se dedicar a ele caso ocorra, quantas pessoas serão envolvidas, quais recursos serão necessários alocar. Depois deixe-o temporariamente de lado e vá cuidar de coisas mais importantes.

- **Você é afetado diretamente pelo problema ou é apenas coadjuvante?** Quando falo em ser afetado diretamente, é como se você fosse o ator principal do filme, daí, sim, as ações principais ficam por sua conta. Nesse caso é que faz mais sentido você se preparar para o GOOO UP e fazer o que deve ser feito. O ponto inicial do seu preparo acontece com uma avaliação do seu papel nessa história. Isso é algo relativamente simples de fazer, respondendo-se às seguintes perguntas:

    1 - Se nada você fizer quanto ao problema, mesmo assim não será afetado diretamente em sua vida pessoal ou em seu trabalho?

    2 - Caso você se ausente do local, por exemplo, devido a uma viagem, o problema poderá ser resolvido por terceiros?

    3 - Existe alguém a quem você poderia delegar o problema e que o resolveria?

    Se você puder dizer sim a qualquer dos casos acima, significa que o problema não é seu diretamente. Então não se prenda a ele, pois você é apenas um coadjuvante, e as atuações principais não estão sob sua responsabilidade.

- **Só o dinheiro poderia eliminar esse problema imediatamente** – pense se o dinheiro seria a única solução para seu problema ou dificuldade. Normalmente o dinheiro não é a única solução, e é possível que você possa usar o tempo e suas habilidades a seu favor.

    Quando a questão é apenas de dinheiro, é mais fácil de se resolver, apesar de não parecer. Se você está devendo dinheiro, por exemplo, é bom lembrar que é do interesse do seu credor tratá-lo bem, pois, se for de forma equivocada e desrespeitosa, é bem provável que, se você puder, vai colocar a conta dele no final da fila e pagar outras pessoas que compreenderam seu problema e gostariam de achar uma forma de ajudá-lo.

    Cada vez que o dinheiro por si só solucionar o problema, isso é ótimo. Você pode até não ter a solução em mãos, mas o banco, a financeira, eles têm. Basta que você tenha a habilidade de negociar e fortalecer o contato com essas instituições e apresentar um bom plano de recuperação para voltar à normalidade financeira que você procura.

- ***Avalie quantas pessoas você conhece que já passaram pelo mesmo problema ou algo parecido*** – acho essa uma forma excepcional de solucionar problemas verdadeiros. É muito provável que você conheça algumas pessoas que tenham passado por um problema semelhante ao que você está enfrentando. Independentemente de o perfil da pessoa ou a intensidade do problema serem diferentes, a essência é a mesma, e avaliar essa particularidade é algo que merece toda a sua atenção e percepção.

Uma coisa valiosa no comportamento humano é que as pessoas sempre têm uma história para contar, um sonho para compartilhar e uma lição para ensinar. E isso é exatamente a fonte que você pode usar como referência para avaliar e tomar a sua decisão. É claro que pode usar essas referências, mas suas decisões deverão sempre ser baseadas na sua razão, e não na dos outros.

Com quanto mais pessoas você conversar sobre o problema que precisa resolver e compreender como elas encontraram a solução, mais provável será que encontre um caminho para resolver o problema sem se desgastar mais do que o necessário.

Por isso tudo, é importante avaliar a possibilidade de dividir seu problema com pessoas de sua confiança, para achar mais rápido a solução. Não deixe que o medo ou a vergonha o impeçam de usar esse excelente recurso. Afinal, todos passamos por problemas, e toda ajuda sempre é bem-vinda para solucioná-los.

- ***Você é afetado em sua reputação devido ao fato de o problema existir*** – esse é um assunto que exige grande atenção. Quando você perceber que seus valores, sua história, sua palavra e suas crenças foram colocadas em questão devido ao problema, isso significa que já passou da hora de fazer algo para solucionar a situação.

Seja muito criterioso quanto a isso, porque um deslize na sua reputação pode acabar com a sua vida. Já uma reputação bem construída, aliada às ações corretas, vai ajudar muito a conquistar os maiores sonhos da sua vida.

Não existe nada pior do que perder a reputação, seja no campo pessoal, seja na vida profissional. Tudo no mundo gira em torno de reputação e da credibilidade que você tem no mundo. Para ter uma noção disso, basta tomar como exemplo o comportamento dos bancos: eles dão crédito para quem tem uma conta sempre bem posicionada, ou seja, quando a reputação do cliente perante o banco é positiva. Por isso mesmo é que se ouve falar que "banco só dá crédito para quem já tem crédito, só empresta dinheiro para quem não precisa". A verdade é que, para o banco, estar com boa reputação de pagamento de compromissos assumidos é algo de muito valor. Inclusive, você vai poder verificar que, em geral, os bancos cobram mais juros dos maus pagadores. Pessoas que são boas pagadoras, que prezam seu nome, sempre têm mais vantagens nas instituições financeiras.

O valor da reputação pode também ser pensado em termos da "qualidade" do dinheiro que a pessoa tem. Isto é, ter muito dinheiro vindo de fontes ilícitas, como falcatruas, vendas de drogas e outras coisas desse tipo, não traz uma reputação positiva – o que vai dificultar que a pessoa participe de uma série de coisas importantes na vida dela, devido à falta de valores que ela apresenta e à ilegalidade do que ela faz.

É importante que você verifique frequentemente como anda sua reputação. Procure perceber se ela foi afetada por algo que você fez ou vem fazendo. É simples de verificar isso, se você prestar atenção: quando as pessoas começarem a não confiar mais em você, significa que existe algum problema não resolvido, ou mal resolvido, que ocasionou essa situação. Então, aja rápido, não perca mais um minuto: GOOO UP no problema e recupere a sua boa reputação.

## FAÇA UM MAPEAMENTO DO PROBLEMA

É preciso encontrar a fragilidade da dificuldade, pois todo problema tem um ponto frágil, que deve ser nosso alvo na hora de solucioná-lo. Por mais que a situação pareça algo diferente de tudo o que você já viu, em todo e qualquer problema ou dificuldade sempre existe "um calcanhar de Aquiles", isto é, o ponto em que o problema é mais fraco. E essa pode ser a saída imediata para sua solução.

É preciso fazer um mapeamento detalhado do problema, para que você possa conhecer em que terreno está pisando e em que pontos precisa concentrar mais o seu foco. Isso precisa ser visto, avaliado e validado com muita atenção. É preciso descobrir onde está o ponto que, uma vez atacado, vai nos beneficiar na tomada de decisão sobre o que, como e quando fazer para solucionar aquela situação.

Um bom caminho para iniciar a análise da situação e mapear devidamente o problema é procurar entender se as dificuldades maiores estão baseadas em pessoas, em recursos financeiros ou em tempo. É bastante comum, durante essa análise, descobrimos que o problema nem sequer tem poder para afetar a sua rotina profissional ou pessoal. Vamos analisar um pouco melhor essas possibilidades.

- *Tempo* – o tempo é uma das grandes fragilidades dos problemas. É ele que pode tornar o problema obsoleto, ou que pode torná-lo mais ameno. É até possível que alguns problemas sejam solucionados por completo à medida em que tempo vai passando.

  As pessoas muitas vezes não percebem, mas o tempo é sempre um ótimo aliado, seja para problemas pessoais, seja para dificuldades profissionais. O tempo ajuda a amenizar brigas e discussões familiares, cura lembranças duras de infância, acalma a raiva e a mágoa, ajuda a resolver até mesmo a falta de dinheiro e as dívidas, tornando os credores mais receptivos para suas propostas de liquidar seus débitos.

  É claro que tudo tem que ser pensado de uma forma coerente e prática, pois, da mesma forma que você pode decidir esperar o tempo passar para amenizar a situação, também é preciso pensar que o problema em questão estará diariamente na sua vida. E se você não souber ou não puder conviver com ele, o sofrimento e as consequências podem ser cruéis, ou mesmo inviabilizar determinadas ações que você deve ou quer tomar. Podemos citar como exemplo o caso de você não conseguir um emprego, pois está com o nome no Serasa. Nesse caso, não adianta esperar, porque você tem que resolver urgentemente – e, dessa forma, o tempo passa a não ser seu amigo.

• **Postura** – muitas vezes os problemas são ocasionados pela postura da pessoa, que acaba criando uma situação não muito agradável, potencializando a ocorrência de situações indesejáveis. Isso ocorre tanto no ambiente de trabalho quanto na vida pessoal, em geral levando a pessoa ao limite do estresse.

Quanto mais você mantiver a postura que o colocou no problema, mais difícil será eliminar aquela situação. O segredo para a solução está em reverter a postura e passar a adotar um modo de se portar que leve a desestruturar e resolver o problema.

Costumo dizer que uma das grandes fragilidades dos problemas é que, sempre que você adota uma postura correta, imediatamente pode minimizá-lo e até eliminá-lo.

Pense, por exemplo, como seria aquele casamento em crise em que o marido sempre vai jogar bola quatro vezes por semana, até que a mulher não aguenta mais se sentir tão abandonada e em segundo plano. O que seria preciso para resolver essa situação? É bem simples: seria importante o marido mudar sua postura e começar a se colocar no lugar da esposa. E então reduzir suas saídas para o futebol e ficar mais presente para a esposa, para que tudo volte a estar bem em casa e o casal possa se restabelecer no relacionamento.

Pense nesta outra situação: suponha que você seja "o ranço" do seu time de trabalho, sempre de cara fechada, sempre reclamando, até que as pessoas o excluem das reuniões e do convívio com elas, porque não aguentam mais o seu jeito. O que você deve fazer para corrigir isso é bem simples: basta mudar de postura, para algo mais positivo e agradável, que o problema desaparece e você vai voltar a ter mais amigos e a receber mais convites para estar com as pessoas.

A mudança de postura é um dos grandes trunfos para se usar na solução de problemas, pois ela deixa à mostra um outro "eu", que será mais adequado para lidar com uma situação difícil. Se o seu eu antigo não está conseguindo mais resultados, está na hora de usar esse novo eu para ter seu problema resolvido.

- **Dinheiro** – o dinheiro, ou talvez seja melhor dizer a falta de dinheiro, embora pareça ser um grande problema, na verdade é uma das principais fragilidades de um problema. Se você tiver a postura certa, mantiver uma boa reputação e utilizar o tempo a seu favor, vai perceber que o fator dinheiro se torna uma excelente alavanca para a solução de qualquer problema.

Quando a situação envolve algum desequilíbrio envolvendo o dinheiro, sendo ele o fator principal da dificuldade que se está enfrentando, podemos dizer que "não temos um problema de verdade, mas sim apenas um desafio". Pense nisso com bastante atenção e poderá ver a situação por um outro ângulo, mais favorável.

Acontece que muita gente deixa o dinheiro interferir na vida dela de maneira errada. E então passa a ser comandada pelo dinheiro. E é aí que estão o grande engano e a grande fonte de problemas. Porque o dinheiro não tem emoção, não faz amigos, não tem relacionamentos. E se deixá-lo no comando, ele vai derrubá-lo. Ele tem o poder de colocá-lo como refém dos problemas. Tudo vai depender de como você pensa sobre ele. Então, não seja refém, não seja escravo do dinheiro.

É preciso avaliar a situação com frieza e objetividade, para ter a certeza de que o dinheiro é apenas uma fragilidade de todos os seus problemas. Dinheiro se perde e se ganha com o passar do tempo. Dê tempo ao tempo e tudo ficará ainda mais simples de solucionar. Em geral, problemas de dinheiro são resolvidos não com dinheiro, mas sim com uma boa negociação.

## AÇÃO – UTILIZE SUA MAIOR HABILIDADE PARA ELIMINAR O PROBLEMA OU TORNÁ-LO SEU ALIADO

Utilizar toda a sua habilidade para eliminar o problema, ou então torná-lo seu aliado. Essa é a resposta quando o objetivo é seguir adiante, construindo o sucesso. A solução de qualquer problema exige ação. Mais ainda, o próprio sucesso precisa de ação para acontecer.

Conforme afirmou o ilustrador e artista Eric Deschamps, "Muitas pessoas têm objetivos, mas apenas algumas conseguem alcançá-los. Muitas pessoas sonham, mas poucas transformam esses sonhos em realidade. O sucesso precisa de ação!".

Qualquer processo de solução de um problema pode ser mais bem aplicado quando se tem uma visão mais ampla da situação. A execução da solução necessita de agilidade e visão de futuro. É preciso ter claro em mente como você irá se beneficiar com a solução daquela dificuldade. Quais serão suas vantagens, quais serão os seus ganhos?

Todos temos habilidades que podemos usar de alguma forma para tornar mais simples a solução de problemas e dificuldades. Normalmente, nossas maiores habilidades têm como base as experiências próximas já vivenciadas por nós mesmos, ou aquelas das quais participamos como mediadores, ou ainda aquelas outras que simplesmente observamos acontecer com outras pessoas.

É muito importante sabermos quem somos e quais são os diferenciais que temos. Eles irão servir de facilitadores na hora H, em que a nossa ação seja necessária para resolver um problema. E então fazermos o que deve ser feito.

Existem algumas habilidades e qualidades que considero especialmente facilitadoras na solução de problemas. Recomendo que você procure desenvolvê-las ao máximo e passe a usá-las com frequência.

- *Paciência* – a paciência é uma das rainhas da solução. Quanto mais você se apressa, maior a probabilidade de se tornar frágil diante do problema, porque não vai dar tempo para analisar adequadamente quais os caminhos a tomar. Decisões e ações apressadas podem não resolver totalmente o problema e, pior, podem ainda complicá-lo e torná-lo ainda mais prejudicial.

  É importante que você se torne uma pessoa paciente, que não se apavora e não sai por aí tentando resolver os problemas a qualquer custo. A paciência é uma habilidade e uma qualidade que fará toda a diferença na busca por soluções.

  Saiba que nada muda se você não mudar. Então, se você quer soluções mais eficazes para os seus problemas, torne-se paciente, a tal ponto de as pessoas à sua volta perceberem claramente que você tem essa qualidade como um diferencial no seu modo de agir.

- **Rapidez na tomada de decisão** – costumo dizer que o produto mais caro do mundo é uma tomada de decisão de forma assertiva. Quando você consegue avaliar uma situação, tomar uma decisão poderosa, na direção correta, e validar os resultados, isso realmente não tem preço.

  Toda vez que você fica em cima do muro – e aqui não estou falando de esperar com paciência o tempo que for realmente necessário – e não toma uma decisão, é muito provável que perca o tempo que seria o ideal para resolver um problema. Você abre mão de um fator positivo que estaria a seu favor.

  Quando você tem a habilidade de escutar, reconhecer, diagnosticar e responder a um problema de forma ágil e rápida, tem toda a condição de resolvê-lo de maneira independente e autônoma, obtendo sempre os melhores resultados. E todo esse processo se inicia com a sua capacidade de tomar decisões rapidamente.

  Uma decisão bem fundamentada e ágil é o seu grande trunfo para a solução da maioria dos problemas que você pode vir a enfrentar.

- **Capacidade de unir objetivos comuns** – quem tem a habilidade de unir pessoas com objetivos que tenham uma base em comum – mesmo que não sejam exatamente iguais – dá um grande passo na direção da solução de problemas e dificuldades.

  A capacidade de agregar pessoas tem um potencial infinitamente maior na solução de problemas. Querer resolver tudo sozinho não é o melhor caminho, por mais hábil que você seja.

  Sempre que conseguir juntar mais pessoas em prol de seus objetivos, de tal maneira que coletivamente todos ganhem algo, é muito mais provável que consiga atingir o objetivo que quer.

  As pessoas buscam viver com quem tenha grandes ideias e objetivos próximos aos seus, para potencializar seus resultados. Mas é preciso estar disposto a fazer a sua parte do trabalho. Não adianta só se aproximar dos vencedores e não somar sua contribuição ao time.

Gosto particularmente de um exemplo do poder de unir pessoas com objetivos comuns: imagine que todos serão demitidos se o seu time não bater a meta do ano. Então trabalhar sozinho não é a melhor solução. É preciso reunir as pessoas, agregar esforços, unir propósitos, juntar conceitos e experiências em prol de um problema que é seu, porém, também é de outras pessoas. Assim, você agrega os interesses e objetivos, soma os esforços, para atingir um bem comum, um bem maior: o do time todo.

- *Persuasão e convencimento* – quando alguém tem essas habilidades, já está um passo à frente para resolver qualquer problema. Afinal, grande parte dos problemas com pessoas vem de situações emocionais. Quando você consegue usar formas de vender suas ideias de maneira que a outra parte compreenda os benefícios e vantagens para ambos, já tem meio caminho andado na direção da solução dos problemas.

  Se você reparar, vai perceber que as pessoas que mais têm essas habilidades dificilmente passam por grandes dificuldades. O motivo é bem simples: elas conseguem criar cenários, histórias, visão de futuro e tudo o mais que seria necessário para que a outra parte se sinta integrante da situação que a pessoa apresenta. Isso é algo muito poderoso.

- *Terceirização de riscos* – esse é um assunto que precisa de muita atenção. Terceirizar riscos quando você tem problemas nas mãos é muito bom, mas é preciso habilidade para fazer isso da forma certa.

  Quando falo em terceirizar os riscos, não estou dizendo para deixar o problema para os outros resolverem. Quero dizer que você pode contar com outras pessoas para ajudar a resolver determinados problemas.

  Na verdade, quando você traz outras pessoas para fazerem parte da solução de um problema, elas naturalmente se tornam partes integrantes do processo de solução. Mas você não "larga" simplesmente a responsabilidade sobre essas pessoas.

O que é preciso compreender é que, quando isso ocorre, você tem que manter o poder de decisão nas suas mãos. Como costumo dizer, "o jogo está montado na mesa, mas deve ser você quem dá as cartas".

Essa é uma estratégia que pode ser usada para diversos assuntos. Veja alguns exemplos:

- Você tem que decidir sobre um profissional de seu time porque percebe que ele, um dos grandes vendedores, está com o comportamento prejudicado, e, caso se mantenha dessa maneira, lamentavelmente o time não poderá permanecer com ele. Uma alternativa interessante para lidar com esse caso seria chamar o pessoal todo e solicitar para se colocarem como apoio daquele profissional, para que o influenciem positivamente. Dessa maneira você não fica exposto ao problema e mantém a sua autonomia para tomar decisão sobre a questão. Terceirizando o esforço de recuperação daquele profissional, você terá a liberdade de agir depois, de acordo com os resultados que forem obtidos por ele, em conjunto com seu time.

- Existe uma dívida em seu nome, que você não conseguirá pagar no momento. Você vai até o credor, na busca por um acordo. Dessa forma, você coloca o problema no colo dele – claro que depois de ter verificado algumas variáveis, por exemplo, se ele tem alguma meta de recuperação de crédito a cumprir e se está aberto a uma negociação que lhe seja favorável. Os argumentos que você pode usar nessa negociação podem girar em torno de fatos bastante comuns no mundo do crédito, como o de que "quanto mais longo o tempo para o acordo, maior o risco de o credor não receber", ou "quanto mais próximo a dívida chega dos cinco anos, maior a chance de ela caducar", ou ainda o fato de que "quanto mais tempo o devedor ficar sem pagar, por não ter recursos, menos ele terá interesse em encontrar a solução para esse problema".
Quando você "terceiriza" o problema dessa maneira, documentando a sua intenção de negociar com e-mails, cartas e outros

meios, já estará resolvendo parte do problema, porque estará demonstrando boa-fé, um elemento que é a base mais importante das relações de negócios. Você estará demonstrando que deseja pagar a conta e que busca um meio de fazê-lo, sem que isso o obrigue a "morrer de fome" – o que, em última instância, deixaria o credor sem receber mesmo.

Imagine agora aquela situação de um familiar pedindo ajuda financeira – mais comum que isso fica difícil imaginar, não é mesmo? Quando isso ocorre, é importante compreender que a forma mais prática de terceirizar o problema é fazendo à pessoa a seguinte pergunta: "Se eu não estivesse aqui, em que porta você iria bater?". Pronto. O problema estará praticamente resolvido. Essa forma de terceirizar o problema por meio de perguntas é muito assertiva. O poder está em quem pergunta, e não em quem responde.

Quando coloca a responsabilidade pelo problema nas mãos de quem o traz até você, fica muito claro se é algo que você mesmo terá de resolver, ou se a situação apenas está em suas mãos porque você sempre é solícito e, por isso mesmo, corre o risco de que abusem da sua bondade.

- *Viver cada dia* – quando você tem a habilidade de viver cada dia como se fosse o último, é muito provável que seus problemas não tenham o mesmo peso que para outras pessoas. Esse é um assunto muito interessante, pois, a rigor, os problemas, na grande parte das vezes, não existem com a mesma intensidade hoje que existirão amanhã.

  É muito importante compreender que o viver o dia a dia promove em você a eliminação de um possível "pré-blema", como eu já havia mencionado. Você deixa de pensar em algo ruim e passa a focar sempre em melhorar seus resultados, sejam quais forem, a cada dia.

  Cabe aqui, neste momento, um convite que lhe faço para pensar e fazer as analogias que vêm a seguir.

  - O que adianta você pensar que no mês que vem é a sua prova na OAB e se apavorar, gerando mais problemas no seu dia a dia até que chegue o momento de fazer a prova?

Na verdade, se focar no aqui e agora, já existem problemas suficientes a cada dia para você resolver. Mas nem isso mesmo deve ser motivo de preocupação. Pense: daqui a dez anos, será que os problemas de hoje serão os mesmos e terão a mesma prioridade? Por que se preocupar com o que ainda não aconteceu? Por que criar "pré-blemas"? Avalie a situação com carinho e então foque no hoje e estude tudo o que for necessário, sem pensar no que será no dia da prova. Isso é o melhor que tem a ser feito. No dia da prova você vai perceber que se preparou psicológica, emocional e tecnicamente, com informações relevantes, para fazer acontecer o sucesso que você planejou.

- No caso de entrevistas de trabalho, é muito comum que a pessoa, na véspera do dia D da seleção para uma vaga em uma grande empresa que está buscando alguém exatamente com o perfil dela, comece a ter diarreia e pensamentos negativos, como: e se ônibus atrasar? E se o trem não funcionar? E se o entrevistador estiver de mau humor?

É muito importante viver cada dia de maneira isolada, como se não houvesse amanhã. Você tem que fazer a sua parte, que de resto o universo vai abrir as portas que você merecer e para as quais fizer previamente o que deve ser feito.

- **Vender o futuro** – poucos têm a habilidade de vender o futuro. Essa é uma habilidade de extrema validade, pois quem consegue montar um cenário em que coloque as coisas que as pessoas querem ver e da qual querem se sentir parte tem grandes chances de resolver problemas enormes, ou ainda minimizar problemas futuros, que ainda não estão sendo percebidos de forma consciente.

Construir cenários com base em suas experiências reais de sucesso pode mudar todo o processo de solução do problema, e até mesmo fazer dele a motivação para que as pessoas avancem rumo à solução mais completa para sua vida.

A facilidade de vender o futuro que alguém tem é baseada diretamente no que ela já vendeu como perspectiva de futuro e que aconteceu realmente. A credibilidade vem a partir do que a pessoa previu e que foi efetivado, que realmente aconteceu. Quando o que você antecipa vira fato, sua credibilidade aumenta vigorosamente, facilitando muito suas futuras ações.

Trouxe aqui alguns casos para você compreender melhor esse conceito:

- Você tem um produto que vai ao mercado em breve. Mas tem também um problema: se o produto não fizer sucesso, você não será promovido. Então, o que você faz é se antecipar e prever os caminhos possíveis, trabalhando com seu time e traçando resultados, perdas e ganhos, de forma clara e aberta para todos.

Isso fará com que todos se tornem parte do contexto, visualizando juntos as diversas situações: "Se ocorrer isto teremos aquilo, se ocorrer aquele outro teremos outro resultado, se não ocorrer determinada coisa, teremos ou não teremos o que desejamos".

A grande estratégia é sempre usar como base para avaliar o futuro as suas experiências passadas reais, os resultados que você já obteve, mesmo que em outro cenário. Usar o aprendizado de outras fases de sua vida vai levá-lo mais próximo de vender um futuro mais dentro da realidade, no qual se contemple o sucesso coletivo e de cada indivíduo do seu time.

- Você define com sua família que vão criar condições para viajarem juntos todos os anos, já que, até aquele presente momento, não conseguiam fazê-lo, por absoluta falta de dinheiro.

Para vender esse futuro para a sua família, você apresenta a ideia de que, se todos se dedicarem a cumprir suas tarefas da casa diariamente, por exemplo, não precisarão mais de empregada, o que reduzirá os custos, e vocês poderão economizar aquele dinheiro para as viagens. Você apresenta seus cálculos e demostra a todos que a soma total economizada no ano será suficiente para todos viajarem juntos para os lugares que querem muito conhecer.

Vender um futuro fundamentado pode tornar um problema em uma solução ágil e assertiva.

Uma dívida está batendo à sua porta, e você não sabe o que vai dizer ao credor. É simples resolver isso: construa um futuro para ele, mostrando que tem a opção de receber o que lhe é devido se colaborar com você e aceitar as condições que você apresenta. A sua boa vontade sempre será bem-vista, e vocês chegarão a um acordo de bom tamanho para ambos.

Quando você usa a venda de um futuro em que coloca os benefícios que o credor terá, o interesse dele aparece, já que ele será incluído na sua lista de pagamentos, com preferência sobre os outros credores que não aceitarem negociação.

### AMPLIE SUA VISÃO SOBRE O PROBLEMA

É claro que a aplicação do sistema A.R.M.A. vai dar tanto mais resultados quanto mais você souber a respeito do problema que estiver enfrentando. Por isso, ter uma visão ampliada sobre a situação com que está lidando é primordial para conseguir soluções mais completas e adequadas à sua necessidade.

A rigor, eu diria que é impossível eliminar um problema, ou resolvê-lo de modo eficaz e eficiente, sem ampliar sua visão sobre ele. Sem colocar todas as possibilidades e avaliar os possíveis resultados fica muito difícil definir o que fazer.

Como já comentei neste livro, um dos pontos que mais dificultam as pessoas na lida com um problema é o fato de elas não conseguirem ao menos saber de onde ele vem. Isso complica o planejamento para atacar adequadamente o problema de modo a resolvê-lo definitivamente.

Uma forma simples de olhar o problema mais de perto é utilizando uma visão que chamo de Tríade do Problema, que desenvolvi para verificar sua origem, como ele de fato é e como ele se comporta. Acompanhe a seguir.

Todo problema chega até nós principalmente de uma das três maneiras a seguir. Você pode comprar o problema, produzir o problema ou herdar o problema. Vamos analisar cada um desses casos.

## Comprar o problema

Grande parte dos problemas é comprada pelas pessoas, e isso acaba gerando um impacto muito forte na vida delas. Veja o exemplo a seguir.

Você pode não ter nada a ver com o assunto de levar seu primo ao médico, mas, a pedido de seus pais, resolve "ser bonzinho e quebrar esse galho", mesmo tendo um compromisso inadiável naquele dia – entenda que "ser bonzinho" é muito diferente de ser uma pessoa do bem.

Acontece que naquele dia o trânsito estava muito difícil, e demorou mais do que você havia imaginado para chegar ao consultório do médico e depois voltar para seu escritório. E você se atrasou.

O problema é que você havia marcado uma importante reunião de negócios com um grande investidor, que não pôde esperar a sua chegada porque tinha muitos outros compromissos a cumprir naquele dia. O que aconteceu é que você perdeu a chance de fechar um ótimo negócio e ainda ficou com a reputação manchada, na visão daquele investidor. Pior ainda, não teve nem a chance de se explicar a ele – o que na verdade não importaria mesmo, porque você simplesmente deixou de ter uma atitude profissional, e essa foi a imagem que ficou com o seu possível novo cliente, com quem talvez não tenha uma nova chance de conversar.

Nesse caso, fica muito claro que você comprou um problema que não era seu e acabou gerando uma situação em que ficou prejudicado. É claro que tudo isso poderia ter sido evitado se você tivesse se mantido em sua prioridade, que era ir diretamente para o seu escritório atender o investidor com quem tinha agendado uma reunião.

Outro exemplo seria o caso de um líder de vendas sair para vender em nome de um vendedor de sua equipe que não consegue bater suas metas. Para fechar a meta da equipe, o líder faz o trabalho daquele vendedor. Mas então ele compra um novo problema, pois acaba faltando tempo para executar as tarefas de liderança que são de sua responsabilidade, e isso pode acabar resultando em complicações futuras – sem contar que pode gerar certo comodismo nos profissionais de seu time, o que dificultará atingir novas metas.

Quantas vezes algo assim acontece na nossa vida? Um pedido de alguém, uma colaboração que você se propõe a dar para outra pessoa em um momento delicado, um compromisso que você assume sem poder e que o acaba levando a ter um problema que não era necessário você ter de enfrentar.

Normalmente, acabamos comprando um problema pelos mais diversos motivos, mas o mais comum, o mais frequente, é por não sabermos dizer "não" para as pessoas. É claro que não estou dizendo que não devemos ajudar os outros, mas é preciso que você faça isso quando realmente pode, nos momentos certos e de maneira que não gere um problema para você mesmo.

## Produzir o problema

Este é um caso interessante de se avaliar, mas normalmente é o mais simples de se evitar, porque em grande parte dos casos você já tem a solução pronta nas suas mãos, mas deixa de aplicá-la, e, por isso mesmo, o problema se manifesta.

Como sempre digo, toda ação tem um efeito. Quando você produz um problema, significa que já tem o caminho que deve seguir, tem a visão das consequências dos seus atos caso não siga o caminho que está claro para você. Mesmo assim, decide agir, ou deixar de agir, de maneira que acaba criando ou ampliando a possibilidade de ter um problema. Em outras palavras, você mesmo gera o efeito de "conseguir um problema na sua vida", por suas ações erradas, ou mesmo por não agir da maneira correta.

Um exemplo bem básico desse caso: se você tem uma prova na faculdade e não estuda, na hora do teste vai perceber que sabe bem menos do que deveria e que vai tirar uma nota baixa. Um problema que poderia ter sido evitado, ou mesmo nem existir, caso você tivesse tido a ação correta de se preparar para a prova.

Uma situação que também serve de exemplo para dar mais clareza à ideia que estamos discutindo é o caso daquele casal que mantém relações sexuais sem o uso de preservativos ou algum outro meio contraceptivo. Quando a mulher engravida, em um momento que não é o ideal para eles, porque estão em uma situação financeira ruim, ficam reclamando que não têm sorte, porque ter um filho naquele momento só vai complicar mais a vida deles. Isso é produzir o problema.

A forma mais fácil de resolver um problema é evitar que ele exista, sempre que possível. Veja que, no caso desse exemplo, quando é você quem produz o problema, sempre é possível agir de modo a não gerá-lo. Compreende como tudo fica muito mais simples?

Para evitar produzir problemas em nossa vida, uma boa estratégia é desenvolver nossa inteligência emocional, treinar nossa visão de futuro e praticar sempre a avaliação do efeito de cada ação que tomamos na nossa vida.

## Herdar o problema

Entre esses três casos que estamos estudando, este é o que mais vai exigir que você tenha bons conhecimentos, experiência, sabedoria e um método eficaz para resolver problemas – como é o nosso GOOO UP.

Nas situações que se configuram como "herdar o problema", em princípio você não tem a menor ideia de que um problema vai surgir na sua vida, nem como isso vai acontecer. Por isso, não tem como se precaver ou se preparar previamente para aquela situação.

Veja este exemplo: um estudante de medicina, de repente, perde o pai, que era quem mantinha financeiramente a casa e, inclusive, os estudos de todos na família. Como a faculdade é cara e não existem outras fontes de renda, além de o estudante de medicina ser o filho mais velho, ele precisa abrir mão de seus estudos para poder trabalhar e cuidar do sustento da mãe e dos irmãos. A faculdade precisa ficar em segundo plano até que ele possa restabelecer o equilíbrio financeiro da família.

Esse é um problema real, herdado de maneira inesperada, pois a morte prematura do pai de família era algo que ninguém podia nem sequer imaginar.

Outro exemplo que podemos citar é o caso de alguém que herda uma empresa de seus pais, porém, o valor do empreendimento e do patrimônio correspondente é muito inferior ao que existe de pendências de pagamentos de impostos e da Previdência Social. A pessoa, de uma hora para outra, se vê dona de uma dívida que talvez não tenha como pagar.

Além da natureza repentina do surgimento do problema, essas são situações que vão exigir da pessoa uma avaliação precisa dos fatos e as consequentes ações necessárias e possíveis para solucionar o problema. Em um caso assim, o uso do método GOOO UP, com suas ferramentas e o sistema A.R.M.A., é altamente recomendável.

Essa visão da Tríade do Problema dá a você um panorama para analisar qual tipo de problema está chegando à sua vida, qual é o efeito direto que ele pode gerar e como é possível lidar com ele. Pense com sabedoria sobre essas situações e perceba como você pode se preparar para resolver um problema ou, quando possível, evitar que ele surja na sua vida.

Como parte de uma estratégia de análise dos problemas que você precisa enfrentar, sugiro que faça este exercício que vem a seguir. Essa é uma prática que vai ajudá-lo a enxergar causas e efeitos em torno da dificuldade ou problema que você está enfrentando. Mais ainda, suas respostas a estas questões lhe darão uma pista fiel de como é a maneira como você deve lidar com cada tipo diferente de problema ou dificuldade.

Reflita sobre os pontos a seguir. De preferência anote suas conclusões em um papel à parte, de modo que possa revê-las depois, quantas vezes sentir ser necessário para que o seu conhecimento sobre o problema seja o mais profundo possível.

1. Como você sabe que um problema que você está vendo é realmente um problema?
2. Qual a primeira coisa que você faz quando acredita que o problema existe?
3. De que forma você encara as dificuldades?
4. Você costuma compartilhar as dificuldades ou procura querer resolver tudo sozinho? Por que você toma essa decisão? Tem algum motivo específico? Qual motivo?

5. Qual é a pessoa com quem você tem tranquilidade para falar de problemas familiares?

6. E sobre trabalho? Qual é a pessoa com quem você pode falar? Por que você escolheu essa pessoa? O que ela tem de especial?

7. Você fica angustiado quando alguém fala que você é o problema da relação, seja comercial, seja familiar? E como você costuma resolver ou lidar com isso?

8. Quando descobre que um problema realmente existe, você assume a responsabilidade por sua solução, ou tenta terceirizar?

9. Você costuma se responsabilizar pela solução de um problema quando está envolvido com ele? O que o faz agir assim?

10. Você sente medo ou ansiedade quando tem problemas ou dificuldades para resolver?

11. Você escutava muito seu pai e sua mãe falarem sobre os problemas deles ou da família, ou mesmo do trabalho? O que você lembra agora que mais o marcou dessas conversas? Você ficou com a sensação de que problemas são algo bom ou algo ruim?

12. Será que o fato de escutar seus pais, amigos, parentes ou avós reclamarem dos problemas deixou em você certo medo de encarar e resolver as dificuldades?

13. Pense nisto e veja se tem a ver com você: talvez seja alguém que realmente quer ir para cima dos problemas, mas está com algum bloqueio, algo que não é seu, mas que você assumiu. Talvez seja um medo de agir por achar que não consegue fazer acontecer a solução de forma rápida, ágil e assertiva. É assim com você? O que pode fazer a respeito disso?

Gaste algum tempo respondendo essas questões por escrito. Depois leia e estude bem as respostas. Veja como pode mudar para melhor o seu jeito de lidar com os problemas e dificuldades.

Quando nos deparamos com um problema, é normal ficarmos ansiosos e querermos encontrar uma solução de imediato. Assumimos no momento que sabemos como resolvê-lo e partimos para a ação, apenas para percebermos que caímos na armadilha de um julgamento precipitado e pouco embasado. As soluções de qualidade, aquelas que causam impacto positivo por se mostrarem verdadeiramente úteis, são o resultado de uma compreensão profunda do problema. E isso requer certo tempo tanto para análises racionais quanto para o uso da intuição.

Lembre-se sempre de que um problema bem compreendido já tem metade da sua solução.

### PERSONALIDADE GOOO UP
Pessoas que foram para cima dos problemas e resolveram. E venceram.

### Ludwig van Beethoven

Considerado um dos compositores mais talentosos e respeitados de todos os tempos, Beethoven iniciou a vida de modo bastante atribulado e um tanto fora do padrão. Ele era desajeitado com o violino e, em vez de aprimorar sua técnica, preferia tocar suas próprias músicas. Seu professor se irritava com o seu comportamento e considerava que ele seria um verdadeiro fracasso como músico e compositor. Mas nada disso o abalou. Ele seguiu em frente, superando os desafios, encarando os problemas, e o mundo da música se tornou mais bonito devido à sua contribuição preciosa e primorosa

# SEJA UM GRANDE ESTRATEGISTA DO GOOO UP

É importante termos a certeza de que podemos resolver tudo o que surge em nossa vida, mas também de que precisamos fazer cada coisa com consciência, determinação e método. Ou seja, precisamos ter uma estratégia para atacar os problemas e aplicar neles um GOOO UP definitivo.

Se você quer mudar para um patamar mais alto na vida, não pode deixar tudo ao acaso, ou simplesmente decidir o que fazer a cada vez que surge um problema. Você tem que ter uma estratégia preparada para encarar todos os problemas. E ajustar essa estratégia dependendo de cada nova situação que surge.

Por isso, a partir daqui vou dar-lhe alguns exemplos de aplicações práticas da estratégia GOOO UP, para você entender claramente como pode usá-la na sua vida. Vale para a vida profissional, principalmente, mas não tenho dúvida alguma de que você também vai poder aplicar esses conceitos e estratégias na sua vida pessoal e resolver muitos problemas que antes lhe pareciam sem solução ou muito difíceis de enfrentar.

Acompanhe a seguir estes casos em que usei as estratégias que o método GOOO UP traz para ajudar a tornar sua vida muito mais simples e seus problemas muito mais fáceis de resolver.

## UNA-SE AOS INIMIGOS

O que eu mais queria, para fazer meu empreendimento crescer, era ter a oportunidade de pegar um produto, seja ele qual for, nas condições que precisava para comercializar. Trabalhei forte nesse sentido, e as coisas começaram a dar certo.

Quando isso ocorreu, surgiu um problema: como eu estava crescendo rápido e sem capital para expansão, sem um time para trabalhar comigo, comecei a sentir que a expansão dos meus negócios iria ficar limitada.

O que eu fiz? GOOO UP no problema! Quando encarei a situação com determinação de resolvê-la, tive um estalo: percebi que um ótimo caminho seria me unir aos inimigos.

Como eu já conhecia todos os velhos vendedores do mercado, na maioria meus "concorrentes", imaginei que poderia formar uma parceria com eles. Passei a me reunir com cada um deles em cafés para conversar, de modo a que não fôssemos vistos juntos. Tínhamos uma conversa direta, e eu contava a eles o que estava fazendo e qual era o meu plano.

A conversa seguia mais ou menos por este caminho: "Eu sei que você trabalha com este, aquele e outro produto e fornecedor, é muito bom no que faz e domina a sua área. Mas também sei das dores que você tem, que não recebe em dia, na maioria das vezes não é bem tratado pela sua empresa e, em muitos casos, é escorraçado quando a empresa acha que não precisa mais dos seus serviços...".

E eu continuava: "Minha proposta é que você continue trabalhando onde está e apenas uma vez por semana me entregue um valor de X reais em vendas dos meus produtos. Vou pagar a você adiantado, no dia da entrega, e além disso vou dar para você uma carteira recorrente nesses produtos...".

Finalmente, concluía: "Mas precisamos de mais pessoas para que esse trabalho dê certo e dure por mais tempo. Preciso contar com você e com todas as pessoas que puder trazer para essa nossa estratégia de trabalho. Assim vamos criar as condições para que, quando o seu ganho aqui estiver alinhado com o que você ganha hoje na sua empresa, você possa vir a ser meu parceiro de negócios em definitivo".

O resultado foi como uma bomba atômica no mercado de seguros – revolucionamos o jeito de fazer negócios.

Quanto mais o tempo passava, mais aquelas pessoas recomendavam minha proposta de parceria e mais gente chegava para trabalhar comigo. Os profissionais de vendas de campo entendiam que eu era um deles e que entendia suas dores, dificuldades e objetivos. Isso criava uma união muito forte entre todos nós, e, em pouco tempo, tínhamos montado um time poderoso.

Meu nome foi crescendo entre as seguradoras, até que um ano depois comecei a ser visto de modo diferente pelas grandes empresas. Deixei de ser aquele "moleque que incomodava" e passei a ser visto como alguém que vendia o que ninguém queria vender, batia de frente com os grandes *players* do mercado e levava, na maioria das vezes, boas oportunidades de negócios aos clientes.

A visão GOOO UP o ajuda a pensar de modo diferente e achar soluções inovadores em situações que a maioria das pessoas joga a toalha porque não consegue ver saída. Além disso, proporciona a você, a cada situação enfrentada, aprendizados importantes, que poderão servir para outras situações em sua vida. Confira aqui alguns dos aprendizados que tirei dessa situação que vivi:

- O importante aqui é entender que é preciso colocar o orgulho e a vaidade de lado, não deixar que isso se torne uma arma contra você. Se eu fosse deixar meu ego falar mais alto, jamais poderia ter pensado em pedir ajuda para meus concorrentes.
- Com humildade e determinação, encontrei uma forma de fazer com que eles se sentissem parte de um projeto para uma melhoria na própria vida deles, dando a eles o respeito que merecem, tratando cada um de igual para igual, dividindo a sacola econômica quando não tínhamos dinheiro e atrasavam as comissões das companhias, promovendo receitas recorrentes e honrando integralmente os compromissos.
- É fundamental viver o momento presente primeiro, para depois projetar o futuro. Uma coisa de cada vez.

Se eu tivesse focado no futuro apenas, não teria encontrado uma solução, pois estaria apenas fazendo hipóteses, deixando de resolver o que me causava problemas reais no presente. Ficando atento ao problema que eu tinha em mãos e aos possíveis recursos que existiam no mercado – aqueles profissionais que realmente sabiam vender, mas que eram meus concorrentes –, pude aproveitar esse potencial para conquistar o mercado e me projetar para consolidar minhas ações no futuro.

Aceitei que não tinha outra forma de agir e que dar tempo ao tempo não era algo favorável aos meus planos. Ou seja, dessa vez eu teria que "criar tempo" para dar conta de todas as ações necessárias e não esperar que ele solucionasse o problema – como em muitos casos em que, com o tempo, o problema desaparece por si só.

- A forma que encontrei de "criar tempo" foi aumentar a força de trabalho que eu tinha à minha disposição. Eu não podia ficar esperando para conseguir resultados de longo prazo, por isso percebi que somente a união com outros profissionais traria solução para a situação e ainda minimizaria meus riscos.

- É preciso entender e aceitar que em muitos casos você vai ganhar menos por venda, mas em maior quantidade. No caso que narrei, ficou claro para mim que a maior fatia do bolo deveria ser dos vendedores, e não minha. Foi importante aceitar que fosse dessa forma, para atrair o interesse dos vendedores e viabilizar o meu projeto.

A verdade é que, se não fosse por isso, eu não teria como trazer os profissionais de outras empresas apenas com promessas futuras. Afinal, nem eu tinha ainda o sucesso que afirmava que eles poderiam ter.

Com o tempo, com as atitudes GOOO UP certas, as vantagens que os profissionais viram no meu esquema de trabalho – dinheiro, respeito, orgulho de não depender das empresas que representavam, etc. – se somaram, e todos perceberam uma nova forma de ver o futuro profissional na vida deles.

O ponto principal aqui é entender que, quando você vai para cima do problema com intenção clara de resolver, é possível colocar orgulho e preconceitos de lado e enxergar soluções em lugares em que seria impossível encontrar de outra forma. Mais ainda, fica bem claro que é possível evitar problemas futuros quando você foca e trabalha para resolver os entraves do presente.

### CUIDADO COM TOMADAS DE DECISÕES ÁGEIS

Durante muito tempo lidando com times de vendas, após ter formado diretamente no campo mais de 15 mil vendedores e ter liderado mais de 700 vendedores, 16 líderes e 32 supervisores ligados diretamente a mim, e depois de mais de 25 anos de prática, tenho visto que as pessoas que vivem com a responsabilidade diária de superar seus números e metas muitas vezes tendem a querer solucionar os problemas de forma mais ágil, mas também menos avaliada e preparada.

Isso tem a vantagem de essas pessoas não se tornarem procrastinadoras, mas também existe o risco de uma tomada antecipada de decisão acabar resultando equivocada. Claro que prefiro fazedores a somente pensadores, mas é preciso ver também de todos os outros ângulos.

Esse tipo de situação acaba ocorrendo porque, como o dia a dia do profissional de vendas tem como premissa superar sempre a si mesmo – e também aos outros –, cada momento dedicado a algo que não lhe traz resultados imediatos e diretos acaba ficando em outros planos, ou mesmo não sendo prioridade.

É muito comum você ver as pessoas como tomadoras de decisões, e isso é ótimo, porque demonstra autonomia e determinação. Mas temos que tomar cuidado para não tomar decisões impensadas e equivocadas que, inclusive, podem não resolver o problema e ainda criar uma situação inconveniente e ruim.

Uma tomada de decisão apenas ágil pode vir a tornar um problema mais complicado do que ele é. Por isso é importante pensar com cuidado nos pontos a seguir, antes de resolver o que, como, em que tempo e com quem se aliar para tomar decisões.

- Se sua tomada de decisão for equivocada na solução do problema, ele poderá se tornar maior do que já era e afetar outras áreas da sua vida ou do seu negócio.
- Quando a decisão estiver para ser tomada, dê-se um pouco mais de tempo para pensar e avaliar com mais cuidado e atenção.
- Se por acaso estiver decidindo sobre colocar mais pessoas, como forma de ajudar a força produtiva do seu negócio, avalie se sua decisão terá efeito direto nos resultados, ou se colocar mais pessoas não levará necessariamente a melhores números.
- Mesmo a partir do momento em que a decisão foi tomada, ainda assim pare e pense um pouco mais nos efeitos colaterais, positivos e negativos, da sua decisão.
- Nunca dependa de outras pessoas para cumprir sua tomada de decisão, pois isso pode ser um tiro pela culatra e expandir ainda mais o problema. Nunca assuma um compromisso que dependa de terceiros para que você possa cumpri-lo.

É muito importante cuidar para que, mesmo que você cometa um equívoco considerável, o problema não se expanda demais. Por exemplo: você faz um acordo judicial, seja qual for, de forma econômica, que prevê que, caso você não o cumpra, terá de pagar, além de multas, um valor ainda maior por descumprimento de alguma das cláusulas. Esse é um ato comum em que você pode querer resolver um problema antecipadamente, como tomador de decisão, mas sem pensar nas variáveis que podem trabalhar contra você no futuro.

### EVITE PROCRASTINAR

Procrastinar é diferente de dar o tempo necessário para executar a ação que irá resolver o problema. Sempre deixo bem claro que uma coisa não tem nada a ver com a outra. Como ambos os casos envolvem a ideia de "deixar o tempo passar", as pessoas costumam confundir as coisas. Mas isso não deve ser avaliado dessa forma, porque procrastinar é um erro grave.

Quando alguém procrastina, ou seja, adia a solução de um problema, podem estar envolvidos fatores como:

- A pessoa não é uma tomadora de decisões.

  Quando alguém não é na sua essência um tomador de decisão, pode naturalmente deixar que o tempo passe sem muitas vezes nem ao menos perceber que isso está acontecendo.

  O caso ainda é mais grave quando a pessoa passa a acreditar que não decidir é uma ação inteligente. Na verdade, não tomar uma decisão é "decidir não resolver nada", é procrastinar, é adiar as soluções e, muitas vezes, complicar ainda mais os problemas.

- A pessoa acredita que o problema será solucionado sem esforço.

  Normalmente agir remete a fazer esforço em algum âmbito da vida, inclusive esforço mental. Logo, quem acredita que não será necessário esforço algum não se dispõe a agir para solucionar o problema.

  Os procrastinadores têm normalmente a visão de que as coisas irão ser resolvidas de maneira simples, independentemente de seu esforço pessoal. E isso em geral não é compatível com a visão de quem quer solucionar um problema. É um erro grave quando o assunto é a busca de uma solução para determinada situação de dificuldade.

- A pessoa não mede o real impacto e as consequências que o problema pode ter.

  Procrastinadores normalmente não conseguem medir o impacto direto do problema, pois, por motivos diversos, não têm a compreensão necessária para avaliar a situação e sua real dimensão. Quando a pessoa não consegue avaliar na íntegra o impacto de não tomar uma decisão, ou seja, de procrastinar, na hora em que a situação aperta ela entra em desespero e pula fora do jogo.

- A pessoa espera que alguém resolva o problema por ela.

  Aqui temos uma pérola da procrastinação, já que realmente é isso que grande parte das pessoas espera: ou seja, que de alguma forma alguém possa tomar a decisão por elas e resolver o problema, mesmo que de maneira frágil.

Terceirizar a ação para a solução de um problema é o sonho de grande parte dos procrastinadores.

Isso é muito comum em casos em que a pessoa sabe que está envolvida no problema, mas acredita que não será a maior prejudicada caso ele não seja solucionado. Então espera que alguém com maior risco se antecipe, resolva a situação e ela, é claro, possa se beneficiar disso.

- A pessoa nunca sofreu de fato com suas procrastinações.

Já que a pessoa nunca sofreu um impacto negativo muito forte ao procrastinar, ou seja, nunca teve um prejuízo que realmente impactasse sua vida quando procrastinou, ela passa a achar que procrastinar não é algo que tenha grandes consequências. A partir daí, passa a pensar que sempre é possível, e até conveniente, adiar as coisas.

Com base em suas experiências passadas de não ter tido grandes perdas quando procrastinou, acredita que continuar "empurrando tudo com a barriga" também não terá maiores consequências.

- A pessoa não consegue fazer distinção entre o ato de procrastinar e a ideia da necessidade de agir no tempo certo.

Essa é uma boa maneira de justificar o fato de não tomar uma decisão. Ou seja, a pessoa simplesmente diz que não acredita que aquele é o momento certo para decidir ou agir. Mas também não consegue precisar qual seria o melhor momento para tanto. Isso só prova que ela está procrastinando.

Quando a pessoa não conseguir colocar uma data prática na sua tomada de decisão, é muito provável que nunca fará nada para resolver o problema, até que finalmente não tenha mais tempo para agir.

Agora vamos analisar alguns casos ligados à ideia de "dar o tempo necessário para tomar a decisão", que é uma forma completamente diferente de agir. Preste atenção e perceba como isso é diferente de procrastinar.

- A pessoa não tem todos os dados para decidir sobre o problema.
  Não adianta você querer decidir sobre o problema sem que tenha todos os ingredientes para que a solução lhe fique mais favorável. Por isso é necessário esperar um pouco mais para tomar sua decisão. Em muitos casos, à medida que o tempo passa, a situação se torna mais visível, e daí sim é possível aplicar o GOOO UP e fazer o que deve ser feito.

- Esperar um pouco mais de tempo pode beneficiar você em uma negociação.
  Com certeza você já passou por casos, por exemplo, em uma negociação em que a situação não o favorecia e que você decidiu que aquele momento não era o melhor para resolver o problema.
  A questão é que existem momentos em que, com base nas ações da outra parte, podem se abrir novas possibilidades, e você pode mudar o caminho que estava trilhando – e usar a força ou a própria estratégia do outro como base para fortalecer o seu lado da negociação. Então é importante, nesse momento, adiar sua decisão, dar um tempo para consolidar sua nova forma de abordagem.
  Gosto muito de citar que, na maioria das vezes em que estava para tomar uma decisão mas não tinha todos os ingredientes, o mais importante para mim era quando a outra parte da negociação deixava escapar algo que me favorecia.
  Sem dúvida alguma, naquele momento eu nem pensava duas vezes: alegava que queria pensar mais um pouco, dizendo que teria algo melhor a ser proposto, que iria melhorar para a outra parte, mas precisava de um pouco mais de tempo para decidir.
  Na verdade, eu queria mesmo era alterar minha proposta com base no que tinha ouvido a outra parte dizer, que era algo que me favoreceria.

- Procurar alianças pode levar mais tempo do que o esperado.
  Há quem diga que sozinho se vai mais rápido, mas que juntos vamos mais longe. Compactuo com essa ideia. Por isso, cada

vez que você puder usar um pouco mais de tempo para que consiga se aliar a boas pessoas para resolver seu problema, sempre terá vantagens. Reforço aqui que a ideia é pensar em termos de se aliar a outras pessoas, e não de terceirizar a responsabilidade pela solução do problema.

Assim você terá mais chances de ser assertivo, porque, afinal, a união de forças, com mais braços e mentes pensantes trabalhando juntos, tende a levar a soluções mais completas e eficazes.

Algumas vezes pode até parecer que você está procrastinando, mas na verdade estará sendo estratégico. Lembre-se disso a cada vez que perceber que poderá usar o tempo a seu favor, procurando bons parceiros para solucionar algum problema.

- O tempo beneficia apenas quem avalia seu limite.

  Adoro essa frase, pois o tempo é nosso grande aliado quando sabemos usá-lo a nosso favor – esteja ele sobrando ou faltando, quando o respeitamos, o tempo sempre nos move para a tomada de decisão no momento certo.

  O tempo disponível deve ser avaliado, e precisamos estabelecer um limite para que a solução do problema seja dada. Costumo dizer que não adianta esperar por toda a sua vida por um amor não correspondido, sendo que ele já se casou três vezes, tem cinco filhos e já está em outra. Tudo tem limite. Todo problema tem que ter um prazo máximo de solução.

  Você precisa avaliar esse limite e decidir até onde está disposto a aguardar ou se tem condições de esperar. E usar isso a seu favor.

Diante de tudo o que conversamos até aqui, acredito que ficou bastante claro que:

O procrastinador é aquele que espera tudo acontecer, sem agir. Ele usa aquela antiga música da Xuxa que diz que "tudo que tiver que ser será, basta acreditar" como alicerce para as suas desculpas por não se mexer. Como se diz popularmente, "ele espera o mundo acabar em barranco, para morrer encostado". E sempre tem uma desculpa pela falta de decisão e ausência de solução de seus próprios problemas.

Já a pessoa que sabe esperar o tempo certo para agir tem uma visão do todo, da estratégia e de como o tempo lhe pode ser útil, e trabalhar a seu favor. Ele gera alianças e é condizente com sua história de vida de sucesso.

## NUNCA DEMOCRATIZE UMA DECISÃO

O produto mais caro do mundo é a tomada da decisão certa – não apenas a informação propriamente dita, mas sim a decisão. Por isso, sempre digo: nunca democratize uma decisão, porque o pescoço na forca sempre é o seu.

Gosto muito de chamar a atenção sobre essa situação quando uma pessoa, por não ter coragem de ir sozinha para cima de um problema, acaba democratizando a solução. No final, ela acaba se dando conta, a duras penas, de que ninguém vai resolver um problema que é dela com sua mesma dedicação. Ninguém se dedica ao problema do outro como se fosse seu próprio problema. Essa é a realidade.

Sempre, em qualquer lugar do mundo, existe alguém que decide o que deve ser feito. Até mesmo na democracia existe sempre alguém que tem mais peso na tomada de decisão. Seja na igreja, no país, na escola, seja na sua família, na sua profissão, na formatação do seu produto, em qualquer coisa que necessite de decisão, alguém assume por último o risco, muito mais do que as outras pessoas.

É impossível que todos tenham a mesma experiência de vida e de profissão e, por isso mesmo, é impossível democratizar uma decisão. Ou seja, no final das contas, se o problema é seu, a decisão tem que ser sua.

Agora, se a decisão final é sua, isso significa que é a sua cabeça que está na forca e é o seu pescoço que vai ser apertado caso o que foi decidido não dê o resultado esperado. Portanto, toda vez que você decidir democratizar uma decisão, vai ter que se lembrar disso. Toda vez que você democratizar um processo de decisão, deve fazer isso apenas para levantar informações que facilitem para que você mesmo tome a decisão final. Portanto, você terá que avaliar o quanto as pessoas que são parte desse processo, ou que geram influência em você, estão suficientemente preparadas para que você possa usar a decisão parcial delas em prol de sua assertividade.

Imagine-se colocando seu filho em um hospital para uma cirurgia e chega alguém e fala que o médico Dr. Fulano é melhor do que aquele que vai operar seu filho e que você deveria mudar de cirurgião. Mas você não conhece nenhum dos dois médicos. Será que pode acreditar na pessoa que está falando com você e pedir para mudar de médico? Será que dá para "terceirizar" essa decisão? Você iria democratizar a decisão nesse caso, sendo que aquela pessoa que está falando não tem o risco que você tem?

Ou imagine então uma situação em que seu filho tem sofrido *bullying* e você pensa se deve ou não trocá-lo de escola no meio do ano. Me diga se iria democratizar essa decisão, colocando em votação em uma reunião de família sobre o que seria melhor para seu filho. É você quem convive com ele e sabe de suas dores, suas dificuldades e suas aspirações. Como seria? Claro que não faria sentido democratizar esse tipo de decisão.

O que é possível fazer é discutir com as pessoas as possibilidades de solução, mas não a tomada de decisão, que são coisas bem diferentes. Você pode perguntar para pessoas em quem confia coisas do tipo "Se você estivesse no meu lugar, o que faria?". E com base nas respostas delas, ter mais elementos para tomar a sua decisão. Isso é diferente de fazer o que o outro lhe disser para fazer.

Em qualquer área da vida e dos negócios, todos os grandes feitos partiram de uma tomada de decisão. E em todos eles sempre houve uma pessoa que tomou a decisão final, que assumiu para si a responsabilidade de dar direção àquela situação.

Quanto mais elementos sobre o assunto que terá de decidir você tiver disponíveis, mais chance terá de ter sucesso. Por isso, em nenhuma hipótese deve democratizar uma decisão que é sua, mas deve democratizar a coleta de ideias que o ajudarão a decidir.

Escute na democracia, avalie na democracia, tire suas conclusões e só então tome você mesmo a sua decisão.

## Transforme grandes problemas em pequenas áreas

Todo problema, por mais complexo que seja, sempre pode ser avaliado de acordo com as áreas de sua vida em que ele está inserido, ou que afeta direta ou indiretamente. E foi exatamente isso que aprendi a fazer.

Como sempre fui um "garoto problema", tudo o que de errado tinha que acontecer na minha vida profissional e pessoal acredito ter ocorrido. Por isso encontrei uma maneira de tornar os problemas mais simples de serem resolvidos, usando a estratégia de fazer com que se tornassem microproblemas.

Como é que isso funciona?

Vamos imaginar que você tenha um grande problema na vida, não importa exatamente o que seja. Só que ele é muito complexo de ser resolvido, ou mesmo de ser avaliado para que se possa tomar uma decisão – na verdade, é um daqueles problemas cuja solução você nem sabe por onde começar a tratar.

A minha sugestão é que você faça uma análise do problema focando em algumas áreas distintas da sua vida e procure, sempre que possível, resolver o microproblema relativo a cada área, o que irá contribuir para a solução do problema maior. Acompanhe as possíveis áreas de análise:

- **A grande família**

  Quando falo em grande família, incluo aquelas pessoas que não têm necessariamente uma ligação direta com seu dia a dia. Podem ser seus tios, sobrinhos, cunhados, etc.

  Você deve pegar o seu problema e ver se ele está inserido nessa área da sua vida, se afeta essas pessoas, se alguém desse grupo faz parte do problema ou da solução, e assim por diante.

  Caso o problema esteja inserido na sua grande família, assinale essa área para lembrar-se de levá-la em conta no seu momento de decisão. Caso contrário, elimine imediatamente a área do seu campo de visão.

- **A família próxima**

  Aqui você precisa avaliar bem se sua esposa, filhos, cachorro, gato e papagaio estão inseridos direta ou indiretamente no problema.

Dependendo do tipo de envolvimento de cada um, é necessário que você vá colocando nos pontos de envolvimento de cada membro uma solução imediata, mas que não ofereça um risco direto na solução do grande problema que você está enfrentando.

Por exemplo, você pode fazer um acordo com sua esposa de que irá trabalhar nos próximos três meses durante quinze horas por dia, para poder superar um problema financeiro. Faça o acordo, solucione esse microproblema e passe para outra área.

- **O trabalho**

  É importante definir com clareza se o seu trabalho é realmente parte integrante do problema, ou apenas um coadjuvante. Que tamanho de risco esse microproblema tem a ponto de afetar em grande parte o problema maior se não for solucionado?

  Imagine que você está trabalhando demais e sua esposa não consegue mais vê-lo, seus horários são divergentes, pois ela trabalha à noite, como médica, e você de dia, como executivo. Você só chega em casa depois que ela já saiu para o trabalho.

  Será que, nesse caso, o problema é o trabalho ou é sua má gestão de tempo? Isso é um microproblema que merece total avaliação. Às vezes colocamos problemas em áreas que não existem. Nesse caso, talvez um pouco mais de organização do seu tempo permitiria que você estivesse um pouco mais com sua esposa.

- **Os amigos**

  Você está com um grave problema nas mãos, pois seus sócios são também seus amigos. Mas um deles resolve mudar de lado e ir trabalhar para o concorrente, pois se sente desvalorizado.

  O microproblema nesse caso é o amigo que se foi, ou é você e seus parceiros que não davam valor a ele? Quem foi o responsável por isso? Ou será que aquela pessoa virou de lado só por uma questão de ser mau-caráter?

  Será que o microproblema nasceu dele ou de você ou dos outros sócios? Como seria possível resolver esse caso?

- **O dinheiro**
Chegou o dia de pagar a prestação da sua casa, e não tem dinheiro em caixa. Esse é um microproblema que abala toda a sua família, por exemplo, com o medo de perder a casa. Assim, é bastante provável que essa preocupação acabe afetando o seu desempenho na solução do problema maior.
A falta de dinheiro pode ser ocasionada, por exemplo, pela falta de ação para gerar recursos. Esse microproblema pode ser resolvido dobrando-se as horas de atividade nos próximos dois ou três meses. Mas também pode acontecer que ele não tenha mais solução, pois já gerou uma ação de retomada de posse do banco.
Qualquer que seja a situação nessa área, é importante avaliar como isso afetará o problema maior e o que pode ser feito a esse respeito.

- **O tempo**
Quando falo em microproblema, sempre é bom compreender que o tempo é na realidade um fator muito importante para a solução de problemas maiores. Você pode ajustar o seu rendimento, fazendo mais ações em menos tempo, ou diminuir a pressa, com menos ações no mesmo período. É você quem decide, de acordo com suas prioridades e objetivos.
O mais importante que se deve enxergar é como o tempo pode beneficiá-lo na solução de problemas maiores.
Pense, por exemplo, na situação em que você está fazendo uma prova, mas o tempo está acabando e com isso não haverá tempo suficiente para concluir o teste todo. Como sabe que as questões dissertativas são as mais valiosas, você prioriza e acelera a resolução delas, para ter o melhor resultado possível. Depois, com o tempo que sobrar, vai para as questões objetivas, que são mais rápidas e intuitivas e ainda lhe dão a chance de obter alguns acertos a mais. Isso é o que eu chamo de manejar o tempo a seu favor.

- **Você**
  Aqui é que o bicho pega. Normalmente você é o maior dos microproblemas que existem por trás de um grande problema. Afinal, se não fosse assim, não seria você o responsável por resolvê-lo.

  A questão mais importante nessa área do problema é que você muitas vezes vai ter que mudar de posicionamento, mudar de lado, mudar de ângulo de visão, até mesmo mudar seus conceitos, para entender melhor como você interfere na solução do problema maior.

  Se sabe que tem um grande problema, então sabe também que faz parte dele ou pode ser atingido por ele. Você passa a ser parte do problema, mesmo que não pareça, e por isso mesmo tem que assumir a responsabilidade pela solução.

  Apenas com uma atitude diferenciada e determinada você pode entender que talvez esse não seja um problema tão grande quanto parece, e a microssolução nesse nível pode contribuir de forma significativa para a solução do problema maior.

O segredo é dividir um grande problema em microproblemas, em áreas distintas, e daí partir para aplicar o GOOO UP com a finalidade de eliminá-lo de vez, ou alinhar-se a ele para tirar todo o proveito que o problema nos proporcionar.

## HONRE SEUS COMPROMISSOS

Houve um caso determinante, em minha carreira empresarial, que contribuiu muito para consolidar a minha estratégia de dar um GOOO UP nos problemas.

Foi em uma época em que fechei um contrato com uma grande empresa, para trabalhar em um nicho bem específico. Eu já contava com um time no mercado muito mais sólido, com vinte pessoas, todas focadas em trabalhar exclusivamente comigo. E isso me deu a chance de buscar resultados muito grandes, porque acreditávamos no que fazíamos e sabíamos muito bem como fazer o nosso trabalho.

Nos estruturamos e investimos muito para atender àquela nova parceria e começamos a trabalhar. Mas, como nem tudo são maravilhas, depois de três meses de trabalho aquela grande seguradora voltou atrás. Eles resolveram cancelar meu contrato no meio do prazo, pois foram pressionados a fazer isso pelo meu "concorrente", naquela época, que era mais antigo no mercado e tinha um poder comercial que nós não tínhamos ainda.

A estrutura que eu havia montado e o investimento que havia feito tinham me deixado em uma situação de dependência daquele contrato, de modo que tive de buscar uma solução urgente para cobrir aquele buraco no faturamento que a perda daquela seguradora, supostamente parceira, iria deixar – coisa que não consegui realizar nos noventa dias que se seguiram, me deixando em uma situação financeira bem delicada. Foi algo realmente catastrófico para meus negócios.

Mas eu tinha de ir para cima do problema e resolver aquela situação. Afinal, havia mais de vinte pessoas dependendo de mim, além de todos os custos relativos à empresa continuarem correndo – e eu precisava comer e pagar condomínio, água, luz, e ainda não deixar minha filha passar fome. Eu simplesmente não tinha mais capital para pagar nem mesmo os ganhos e comissões do meu pessoal.

Dentre as minhas estratégias de GOOO UP, passei a usar uma política em que muito acredito: ser justo, honesto e transparente com o meu time. Avisei a todos que tínhamos sido literalmente pegos pelas forças do mal, que não queriam que nós crescêssemos, que haviam tramado contra nós por não aceitarem nosso sucesso, e que com isso havíamos perdido um grande contrato para garantir os seguros de nossos clientes. Pior ainda, nossas comissões haviam ficado bloqueadas, sabe-se lá por quê. Como resultado, estávamos quebrados, sem caixa e devendo para muita gente. Mas que não iríamos desistir. Iríamos para cima do problema e sairíamos vencedores.

É claro que eu não poderia ignorar que meu time, eu e meus sócios, Vilmar e Emerson – ainda hoje meus sócios e fiéis escudeiros das minhas maluquices, pessoas fora de série –, precisávamos comer, tínhamos família para sustentar, tínhamos custos para trabalhar, e tudo o mais. Eu precisava dar um jeito de ajudá-los a se manterem até que conseguíssemos recuperar nosso faturamento.

Foi quando fiz uma proposta a eles: eu compraria sacolas econômicas de alimentos para todos durante os 90 dias seguintes, até que se resolvesse tudo. Também emprestaria meu cartão de crédito e meu cartão de débito para que pagassem água, luz e despesas de viagem. E depois acertaríamos tudo.

O pessoal aceitou a minha proposta, dizendo que estariam juntos comigo porque eu os havia recebido na empresa e sempre havia honrado meus compromissos. Disseram ainda que estavam prontos para mostrar para os "concorrentes" que éramos os melhores no mercado.

Noventa dias depois, conheci um senhor chamado Gaspar Machado, que considero meu anjo salvador daquela época – e a quem serei eternamente grato – e que me deu uma oportunidade na seguradora em que trabalhava. Mas ele também foi muito claro e objetivo quando me disse algo que me desafiou: "Veja que ninguém quer trabalhar hoje com você e lhe dar uma chance. Então, não desperdice esta oportunidade. Se você fizer uma burrada e prejudicar meu nome, eu mesmo acabo com sua carreira". Realmente, eu estava com uma responsabilidade enorme nas mãos.

Agarrei aquela chance com vontade, com garra, junto com meu time, e nos transformamos em uma máquina de vender. E honramos todas as nossas promessas e compromissos.

Trabalhamos fortemente sem que o mercado ao menos se atentasse às nossas estratégias. Com uma visão clara de futuro, construímos uma força de trabalho com um time rápido e de alto desempenho e passamos a viver exclusivamente com times próprios, cem por cento dedicados à nossa empresa.

Todo esse episódio deixou aprendizados importantes, que merecem ser destacados:

- Tenha sempre pronta e à mão uma estratégia alternativa para o caso de algo dar errado. Isso é muito importante para quando você precisar redirecionar suas ações. Pense em planos adicionais que poderiam suprir suas necessidades diante de um problema qualquer que surgir no meio caminho. Lembre-se de que agir rápido diante das situações é uma estratégia que sempre vai lhe dar muita vantagem competitiva.

- Na alegria e na tristeza, no sucesso ou diante dos problemas, seja sempre claro e abra seu coração para o seu time. Crie uma sinergia baseada na sinceridade e na confiança mútua. Nos momentos em que os riscos forem grandes, ter todos unidos em prol de aplicar uma estratégia de ação rápida e eficaz vai fazer toda a diferença na solução dos problemas.

- Entenda que, quanto mais você se mexer, mais chances terá de ser visto e lembrado. Quanto mais você agir e aparecer no mercado, melhores serão suas oportunidades. E essa poderá também ser a grande diferença quando os momentos difíceis surgirem. Sempre haverá alguém que irá olhar para você e se colocar ao seu lado nos casos mais importantes. Serão pessoas que terão os mesmos valores que você e que se sentirão atraídas pelo seu estilo de trabalho e pela sua postura profissional.

- Quando você divide as suas dores e preocupações com seu time, é muito mais simples superar os problemas, pois todos falarão da mesma forma e terão a mesma visão de luta e reconstrução. Isso cria uma enorme diferença no ânimo de seu time, o que o leva a desempenhos impressionantes.

- É fundamental que você se sacrifique quando todos estão se sacrificando, para que seu time entenda que todos vocês estão no mesmo barco. Por exemplo, quando vivi aqueles piores momentos dentro da nossa empresa, emprestei meu carro para os vendedores e passei a andar de ônibus, pois assim as viagens dos profissionais do meu time ganhariam mais produtividade. Isso injetou uma energia extra no ânimo do meu pessoal, de modo que atropelamos os problemas, partimos para a briga com a certeza de que iríamos para cima e voltaríamos ao topo.

A grande lição que ficou para todos foi entender que a persistência e a determinação sempre serão o caminho do êxito. Mesmo quando você não tiver mais nada, nem crédito, nem perspectivas, jamais deixe de acreditar que um novo caminho vai se abrir e você vai poder seguir por ele e dar a volta por cima.

## FOQUE NAQUILO QUE VOCÊ QUER

Certa vez um instrutor de autoescola me disse: "Você sabe por que as pessoas que estão tirando carteira de motorista batem tanto os pneus na lateral da pista de treino? Porque elas olham para os pneus, em vez de olhar para a estrada".

Esse é o grande problema das pessoas que falham: em vez de olharem para o que elas querem, olham para aquilo que não querem. Em vez de olharem para o sucesso dos seus planos, ficam pensando no fracasso.

Como eu disse no capítulo anterior, é muito importante ter sempre à mão uma estratégia alternativa, para o caso de algo dar errado. Mas faça isso com cuidado. Ter uma estratégia alternativa, um plano B, não significa que você vai fazer todo o plano A de qualquer jeito. Nem que vai ficar pensando já no plano B, considerando que o plano A vai falhar. Você tem que agir como se o plano B não existisse. Ele não pode servir para justificar a sua incompetência em atingir o plano A. Toda a sua estratégia tem que ser pensada para acertar de primeira. Qualquer plano, seja B ou Z, deve estar focado sempre com prioridade em atingir o plano A. Planejar mal, focar na coisa errada e executar sem compromisso são as principais causas de muita gente quebrar ao longo de sua vida empreendedora.

Por falar em quebrar, posso dizer que já nasci profissionalmente quebrado. É verdade! Quando fiz 16 anos, meu pai me emancipou e me colocou de sócio em uma de suas empresas, pois precisava assumir outros negócios. É claro que, como filho, eu não tinha muito a dizer sobre isso. Apenas aceitei e assinei uma procuração de amplos poderes para ele, como seria normal nessa época da minha vida.

Só que nada era tão belo quanto parecia. Sem esperar me tornei um herdeiro de milhões de dívidas e de problemas. Porque alguns anos mais tarde, quando eu já tinha a minha empresa e estava me virando para sobreviver e ter sucesso, meu pai quebrou e literalmente perdeu tudo. E eu fiquei no meio daquela confusão.

A questão era que, além de eu não ter o dinheiro de que precisava, ainda havia recebido um "presente de grego": uma dívida milionária. Afinal, meu nome estava lá na empresa, mesmo eu não tendo nada a ver com aquilo tudo. Costumo dizer que eu era não só "um laranja" que se deu mal nessa história, mas um monte de laranjas, todas juntas numa mesma cesta estragada.

Alguns milhões em dívidas vieram parar no meu nome, e, é claro, isso acarretou problemas graves para mim, para minha reputação no mercado e para meus negócios. E eu não tinha como resolver aquela situação.

Era uma situação muito estranha: o negócio não era meu, por isso eu pouco podia fazer para solucionar o problema, não tinha capital para coisa alguma e tinha que trabalhar feito um louco, ou morria de fome – teve até uma época em que tive que "penhorar" meu terno e meus sapatos de trabalho, para colocar gasolina numa moto e em um Corsa vermelho que eu tinha, para comprar carne no açougue para minha primeira filha. Minha mãe era professora e diretora de escola municipal naquela época, e eu tinha certeza de que, se ela soubesse, iria correndo me socorrer, dizendo que eu não precisava daquilo, porque ela me ajudaria. Por isso mesmo, só fui contar para ela muito depois, quando eu já estava quase com 40 anos. Mas isso me fez forte, me deu a energia e a determinação de que eu precisava para dar a volta por cima, pois nunca quis pedir nada para ninguém quando o problema era meu.

Minhas contas bancárias haviam sido bloqueadas e não havia nada que eu pudesse fazer até que tudo se resolvesse, pois ainda não tinha projeção no mercado, não podia ter nada em meu nome, não podia assumir novos compromissos financeiros e ainda, para complicar um pouco mais, tenho o mesmo nome de meu pai, o que dificultou ainda mais para eu entrar no mercado de seguros.

Pense em uma desgraça total. Era mais ou menos por aí que as coisas estavam. Dizem que só a morte pode acabar de vez com os problemas, mas a minha vida profissional estava recém começando e eu tinha que me manter firme e forte. Tinha que partir para cima e acabar com o problema, resolver tudo trabalhando e fazer minha história.

Eu precisava que as pessoas deixassem de me chamar de "o filho do Alberto" e passassem a me conhecer pelo meu próprio nome, pelo que eu era realmente. Essa falta de identidade no mercado era algo que me incomodava e consumia, mas eu iria resolver isso de uma vez por todas, com minha capacidade de me tornar alguém de valor e que merecesse ser reconhecido.

Em resumo, anos se passaram até que consegui sanar de uma forma ou de outra os problemas que herdei. Sobraram, dessa fase da minha vida, a experiência e o aprendizado que a gente sempre pode tirar de tudo o que vivemos.

Sei que não foi por mal que meu pai me colocou naquela situação. Hoje agradeço a ele por ter me ajudado a me tornar forte, com toda a bobagem que ele deixou acontecer. Simplesmente tudo aconteceu daquela forma complicada, mas isso me mostrou o lado difícil e desafiador das situações pelas quais um empreendedor acaba passando na vida. Agora, não posso negar que para mim isso tudo foi uma escola, aliás, uma faculdade, um MBA, uma pós-graduação, um mestrado e um doutorado e tudo o mais que se possa imaginar em termos de aprendizado e experiência de vida. Aprendi, entre outras muitas coisas, que, se você tem um problema, precisa alinhar suas estratégias e ter um plano, um método para resolvê-lo. Esse foi o princípio das ideias que me levaram a desenvolver o método GOOO UP.

Toda essa história foi, em boa parte, responsável por quem sou hoje, pelo sucesso que tenho – e que você também pode ter. Tudo o que vivi nesse episódio serviu para provar que o grande segredo está em ir para cima de qualquer problema e acabar com ele.

Inicialmente, minha raiva por não poder me tornar um empreendedor de sucesso naquele mercado falou mais forte, e a vontade de superar qualquer desafio se tornou o meu impulso. Sempre pensava que pior do que estava não podia ficar, e saí atropelando os problemas, inicialmente apenas para sobreviver. Mas sobreviver apenas nunca foi algo que casou comigo. Eu queria muito mais, sabia que era muito mais forte e mais poderoso do que toda aquela situação desafiadora. E resolvi que iria me tornar um *case* de sucesso, para ser sempre lembrado naquele mesmo mercado em que eu estava sendo massacrado, em que diretores e executivos de empresas nem mesmo me atendiam. Eu tinha determinado para mim mesmo que um dia todos eles iriam solicitar o meu trabalho para gerar lucros milionários para suas empresas – e é claro que isso aconteceu, exatamente como previ.

Esse modo de pensar e agir me projetou para além daquela situação que eu considerava uma desgraça. Foi um teste que poderia até me transformar em um fraco, uma pessoa qualquer, um coitado, ou melhor, alguém com a síndrome do "coitadismo", como diz meu amigo e mentor Ricardo Bellino, um grande *deal maker* de sucesso, nada menos do que um famoso sócio de Donald Trump. Aquela situação acabou servindo para que eu me fortalecesse e criasse uma estratégia infalível para lidar com os problemas.

Hoje acho divertido quando alguém me questiona sobre se eu já quebrei na vida. Afinal, empreendedor que é bom já tem que ter quebrado pelo menos uma vez. E então eu me gabo, dizendo que já nasci profissionalmente quebrado, com dívida de alguns milhões de reais. E dei a volta por cima. Mas é claro que também já quebrei várias vezes, mas sempre no mesmo negócio, ou seja, investindo errado, em coisas frágeis, até entender que ganhar dinheiro é como amarrar sapato: quando você aprende uma vez, nunca mais esquece. Simples assim. Aprendi a sempre me superar, graças ao método GOOO UP.

Quando falo em quebrar, falo em perder muito mais do que você investiu, muito mais do que você tem condições de pagar. Nesses casos, você corre riscos enormes, mas tem também uma chance incrível para se superar e sair muito mais forte lá na frente.

Vamos resumir os pontos relevantes desse episódio, para que fique claro o que podemos aprender com tudo isso:

- Muitas vezes você é testado para descobrir qual é a sua vontade verdadeira e qual é a sua capacidade de ser alguém na vida, de não depender dos outros ou das casualidades. Você é estimulado a se conhecer, para que possa construir a sua história de sucesso, ter uma condição em que realmente tenha valor profissional – que vem na mesma medida em que você demonstra sua capacidade de solucionar problemas.

- Na vida você não escolhe as batalhas que quer lutar. Recebe de presente situações que servem para testar até onde você pode ir, para descobrir em que você se diferencia da maioria. E na grande maioria das vezes, você recebe não apenas um problema para resolver, mas sim uma série deles.

De fato, naquela época, quanto mais pensava e me empenhava, mais problemas apareciam, sem que eu soubesse de onde – e na sua totalidade nem mesmo eram problemas meus, mas sobravam para que eu os resolvesse.

Lembro-me de que tudo começou com uma dívida aqui, depois outra lá, e então parecia que elas davam cria e se multiplicavam de uma forma alucinante. Chegou a um ponto em que tudo parecia perdido.

Foi quando entendi que não havia outra coisa a fazer a não ser continuar em frente, sem olhar para trás, dirigir pela estrada à frente, com determinação, fé e vontade, sem olhar pelo retrovisor – afinal, eram tantos os problemas que, se fosse para eu olhar para trás para todos eles, precisaria de um retrovisor do tamanho de um para-brisa.

A grande lição, nesse caso, que ficou em minha mente foi: seja qual for a situação que você estiver enfrentando, olhe para a frente e siga adiante. Esqueça o espelho retrovisor, independentemente de o problema realmente existir, ou se ele for apenas algo imaginado em sua cabeça. Foque naquilo que você quer na sua vida e esqueça o resto.

- Quando for planejar seus negócios – ou mesmo sua vida –, crie sempre o pior de todos os cenários e tenha em mente uma resposta rápida para ele. Assim você estará preparado para reagir rapidamente às dificuldades e resolvê-las, ou pelo menos minimizar suas perdas.

Costumo fazer isto sempre, e ainda sofisticar um pouco mais essa estratégia de GOOO UP: crio várias opções de respostas para esse pior cenário, com diversas formatações. Desse modo, tenho sempre vários ângulos de visão e múltiplas formas de ação entre as quais posso escolher para conseguir o melhor resultado em cada situação.

Uma coisa que desenvolvi de forma própria foi o hábito de colocar nomes em *post-its* nas peças de xadrez e assim olhar de cima para que a tomada de decisão fosse a mais assertiva. Ou seja, eu deslocava as peças de acordo com a decisão que tomaria, e isso me remetia a sensações e emoções próprias da situação. Apenas depois disso é que eu agia e seguia em frente. Afinal, sempre a intuição fala mais forte na vida de um empreendedor. Sem ela nada acontece.

- Existem alguns problemas que se resolvem sozinhos, com o passar do tempo. Mas nem sempre isso acontece e nem sempre nos convém. É preciso ser cuidadoso ao analisar essa opção. Por exemplo, algumas dívidas "são eternas" e não caducam com o passar do tempo. Pelo contrário, só deixam o problema ainda mais grave. Um exemplo clássico disso são as dívidas trabalhistas. Elas passam de pai para filho e podem ocasionar grandes perdas de bens que estejam nos nomes dos responsáveis pelo pagamento e seus descendentes.

  Portanto, analise com calma e veja quais problemas você tem que resolver prioritariamente e quais pode deixar para depois. Faça um cronograma realista de tudo o que você tem para resolver e quais as melhores datas para atacar cada um dos seus problemas. Organize-se, para não se sobrecarregar. Use o tempo como seu aliado.

Durante esse período da minha vida, aprendi a estruturar e executar ações que fossem sanando meus problemas pouco a pouco, em ordem de prioridades, à medida que me era possível agir. Afinal, até minhas contas em bancos foram restringidas, e o meu nome perdeu totalmente o crédito. Somando isso ao fato de que tenho o mesmo nome do meu pai, só complicou a situação – costumo brincar dizendo que ainda bem que meu pai não atropelou ninguém, porque senão quem iria preso poderia ser eu.

Hoje rio de tudo aquilo e comemoro o que aprendi e tudo o que construí com base na experiência que adquiri, o que me ajudou a estruturar o método GOOO UP, que me guia para resolver todos os meus problemas.

Enfim, o que quero deixar bem forte aqui é a ideia de que você deve sempre focar naquilo que quer, e nunca no que não quer. A nossa energia segue a nossa intenção. Portanto, se queremos ter saúde, precisamos focar na saúde, e não na doença. É preciso reforçar aquilo que queremos e enfraquecer aquilo que não nos faz bem. Isso não quer dizer que temos de rejeitar a doença. Uma doença, uma vez instalada, deve ser tratada. Porém, o foco deverá sempre ser na saúde. Nesse caminho, a doença em si será mais um meio que estará nos fornecendo informações de como prosseguir, para onde nos direcionar de forma a resgatar nossa saúde. Quando focamos na saúde, saímos do processo de vitimização, assumimos a responsabilidade pela nossa cura e partimos para a luta.

Lembre-se: "Olhe sempre para a pista, e não para os pneus na beira da estrada".

Pense assim em diversas estratégias alternativas para quando for atacar um problema, mas acredite profundamente naquela que você está aplicando – acredite no seu sucesso. Vá para cima dos seus problemas acreditando fortemente que você vai vencer.

## Construa times confiáveis

Se trabalhar sozinho requer disciplina e determinação, trabalhar com um time definitivamente não é uma tarefa nada fácil. Até que se consolide um verdadeiro time, muitos problemas e desentendimentos podem ocorrer.

Dizem que o todo é maior que suas partes, o que pressupõe que um trabalho em um time tenha muito mais força para resolver adversidades e alcançar seus objetivos. Um time, quando formado por pessoas conscientes de suas responsabilidades, conhecedoras de suas capacidades únicas, sintonizadas e movidas pelo mesmo objetivo, naturalmente une as forças inerentes a cada um e contribui para um resultado sempre melhor do que conseguiria uma única pessoa.

O que dificulta um trabalho em um time são os comportamentos impulsivos, e muitas vezes movidos pelo ego, demonstrados por pessoas inflexíveis em seus pontos de vista, ou mesmo aqueles voltados para chamar a atenção sobre a própria pessoa, que acabam desviando a energia do time para questões pessoais, atrapalhando e retardando os resultados do trabalho.

Sempre procurei valorizar o meu pessoal e criar com eles times fortes, bem entrosados, com muito potencial e que tragam resultados excelentes para todos. Ser justo e compreensivo contribui muito para que você construa um time poderoso. Mas não pense que é fácil chegar até aí. Até que tenhamos um time à toda prova, precisamos muitas vezes ser duros e "pagar para ver como é que fica", em determinados casos. Existem situações que se tornam uma verdadeira queda de braço entre você e seu time.

Vou exemplificar contando um fato que ocorreu em minha empresa, em uma época em que tínhamos um time de aproximadamente quarenta pessoas e tudo estava andando "suave como uma nave estelar", com velocidade e precisão, obtendo resultados incríveis.

Porém, em certo momento cometi um equívoco ao contratar novos profissionais e trouxe para a empresa algumas pessoas que não correspondiam em caráter, ou mesmo na sua linha de trabalho, com o que sempre cultivamos nos nossos negócios.

Tínhamos traçado uma meta de dobrar as vendas naquele mês, e tudo estava indo muito bem quando, de repente, um pessoal mau-caráter resolveu minar os esforços do time. E saiu dizendo para todo mundo que eu estava andando de carro importado à custa deles, e que deveriam fazer algo sobre isso. Que deveriam pedir um aumento de comissão, ou que parassem de vender, para provar com quem estava o controle da situação. E o pior é que eles eram tão bons de lábia que meu time, em sua maioria, comprou essa ideia.

Resultado: fechamos o mês e faltou muito pouco para que a meta fosse batida. Ainda fiquei sabendo que algumas pessoas do time tinham produção realizada em sua pasta, mas não a entregaram. Quando descobri isso já era tarde, e perdemos a meta – uma meta que era muito importante para consolidar e fortalecer naquele momento a nossa presença no mercado.

Decidi então que minha resposta a essa provocação deveria ser de tal forma que eu mantivesse o meu poder de liderança sobre meu time. Precisava mostrar a eles que havia começado do zero e construído tudo o que tinha devido à minha determinação e que jamais levei ou levaria desaforo para casa. Ainda mais de pessoas que vinham com palavras enganadoras, dispostas a acabar com os sonhos de todos os que estavam na empresa trabalhando de modo sério e responsável.

Depois de pensar muito, resolvi ser radical e dar uma cartada definitiva, para sanar de vez esse problema. E ainda fiz questão de montar um esquema do qual aqueles profissionais nunca mais se esqueceriam.

Montei um par de binóculos no escritório, posicionado de frente para o rio e focado em meu barco, que estava ancorado ali. Mandei chamar todo o meu time e pedi, por telefone, que olhassem pelos binóculos e me vissem no barco, tomando champanhe. E a seguir demiti todos que estavam contra nosso negócio, ao mesmo tempo, para deixar claro que ali ninguém iria liderar, a não ser eu.

Eu sabia que as pessoas estavam tendo visão distorcida, que algumas tinham sido envolvidas pelos sabotadores, mas queria deixar claro que, se eu tinha carro importado e barco, era porque tinha sido competente o suficiente para trabalhar por eles. E que nenhum malandro iria acabar com minha empresa agindo ali no salão vendas.

É claro que ser radical demais nem sempre é a melhor solução. Porque você pode até resolver um problema, mas pode também criar outros. Por isso recomendo muita cautela e análise da situação antes de partir para a ação.

O radicalismo implica em pensamentos e ações não flexíveis. Hoje em dia, com a rapidez com que tudo acontece, ser inflexível é uma péssima qualidade no que se refere a lidar com problemas e mudanças. Isso porque o que hoje é importante para determinado setor amanhã já não é mais. Assim, ser radical significa nadar contra a corrente quando o momento é de fluir com os acontecimentos.

Depois do que fiz, me senti como um pavão, de tanta felicidade por ter colocado o pessoal no lugar deles. Mas então me veio a consciência de que eu também havia feito certa besteira. A partir dali precisaria reconstruir todo o meu time para poder restabelecer meu negócio. E se algo desse errado, essa seria a prova de que eu realmente havia fracassado na montagem de um time que realmente fosse poderoso.

Foi nessa época que o método GOOO UP se mostrou ainda mais poderoso e me ajudou a resolver mais esse problema. Seis meses depois eu estava novamente com um bom time, e ninguém mais resolveu me testar como líder. Principalmente porque tudo o que eu falava eu provava que havia sido feito na prática. E isso se tornou regra dentro da minha empresa.

Esse foi o maior teste da minha vida quanto à montagem de um time de vendas. Lembre-se, estou falando de "time", e não somente de "equipe". Porque são coisas muito diferentes.

Quando você fala de futebol, por exemplo, é muito melhor dizer time do que equipe. Porque em um time cada um tem uma posição em que é melhor, e é ali que ele joga, que é mais assertivo, de maneira a dar os melhores resultados para o time.

Quando você fala em equipe, dá uma ideia de que todos estão juntos, unidos em um grupo, mas não necessariamente fazendo o seu melhor e complementando o que os outros estão fazendo. Equipe pode até mesmo dar uma ideia de um monte de gente num lugar, se debatendo, sem que cada um esteja fazendo aquilo que realmente vai contribuir para o resultado.

Quando falamos de ter um time, estamos falando de pessoas que trabalham juntas em perfeita sinergia, de tal forma que o resultado é sempre muito maior do que a simples soma dos resultados de cada um.

Vamos ver aqui quais são os principais pontos que devem ser aprendidos desse episódio:

- Um dos pontos mais importantes na solução desse problema foi saber exatamente até que ponto ele era um problema verdadeiro, ou seja, o que eu poderia perder se não o resolvesse do jeito certo. Isso foi fundamental para que eu me posicionasse e tomasse a decisão de fazer o que fiz, mesmo arriscando tão alto o meu negócio. Eu tinha plena consciência de que, se não fizesse algo, o problema se agravaria cada vez mais.

- A certeza que eu tinha de minha experiência para construir um negócio de sucesso e de ter o método GOOO UP como ferramenta a meu favor me deu a tranquilidade para tomar uma decisão tão radical, sabendo que o tempo que eu levaria para formatar um novo time não seria tão longo que fosse altamente prejudicial para meus negócios. Assim, superei a maior dificuldade, que era imprimir a velocidade necessária para reconstruir um time forte rapidamente, para que o meu resultado global de vendas não fosse seriamente impactado.

- Avalie sempre se suas habilidades e experiências realmente são fortes o suficiente para você se refazer no tempo e na intensidade certa quando algo crítico acontecer. Imagine situações extremas e procure perceber o quanto você está preparado para enfrentá-las. Isso vai lhe dar mais poder sobre suas possibilidades de ação e a rapidez como você reage a uma adversidade.

- Procure evitar os pontos cegos nos seus negócios. Fique sempre atento a tudo o que acontece em sua empresa. Tenha sempre aliados colocados em pontos estratégicos, para que você possa se manter informado de problemas que poderiam vir a acontecer. Assim você pode se preparar e reagir mais rapidamente para contornar ou resolver situações perigosas.

## O GOOO UP E SUAS ESTRATÉGIAS

Com as estratégias do método GOOO UP em mãos, você está agora muito mais preparado para enfrentar, atacar e resolver todas as dificuldades e problemas que surgirem pelo seu caminho.

Mas tenha claro que é preciso fazer cada coisa com consciência, determinação e método, para que você possa realmente resolver os problemas, e não apenas mascará-los ou simplesmente empurrá-los para a frente, para um futuro em que eles poderão estar ainda mais complicados.

Você conheceu alguns exemplos em que a aplicação do GOOO UP fez toda a diferença na solução de situações bastante delicadas e críticas. Procure absorvê-los e entender profundamente seus significados, para que você possa aplicar esses conceitos e estratégias na sua vida pessoal ou profissional e resolver muitos problemas, até mesmo aqueles que antes lhe pareciam impossíveis de enfrentar.

### PERSONALIDADE GOOO UP
Pessoas que foram para cima dos problemas e resolveram. E venceram.

### Elvis Presley

Elvis foi motorista de caminhão, mas era apaixonado pela música e sonhava ser cantor. Porém, sua primeira apresentação foi um desastre e ele foi dispensado pelo seu agente, que lhe recomendou que voltasse a dirigir seu caminhão, porque na música não iria muito longe. Assim como nesse episódio, ele enfrentou a resistência de muita gente do meio artístico, que não acreditava nele. Felizmente, Elvis não acreditou no que lhe diziam e seguiu em frente. Foi para cima dos problemas e impôs a sua vontade de cantar. E se tornou um dos maiores vendedores mundiais de discos de todos os tempos.

# PROBLEMAS SEMPRE TRAZEM ENSINAMENTOS

A questão que precisa ficar clara é que nenhum problema vem para deixar você pior do que está. Eles vêm para desafiá-lo a melhorar, a crescer, a se fortalecer. Problemas sempre trazem ensinamentos e experiências, para que no futuro você possa superar com mais tranquilidade qualquer dificuldade de forma mais assertiva e sem riscos elevados.

É importante compreender e aceitar que tudo que se apresenta como ruim na sua vida sempre tem algo de bom, que você vai utilizar em outros momentos. Tudo é uma questão de aproveitar o que a vida lhe dá, sem usar de vitimismo.

O vitimismo nada mais é do que uma doença que está impregnada naqueles grupos de pessoas que querem se agarrar a algo para justificar sua falta de ação e de propósito. Mas você não precisa pertencer a esse grupo de pessoas. Você pode modificar, ou evitar, aqueles seus hábitos que podem levá-lo ao vitimismo dedicando-se a agir de algumas maneiras:

- Procure conhecer melhor a si mesmo, seus limites, suas necessidades, seus sonhos, seus receios. Quanto mais autoconhecimento você tiver, mais condição terá de abandonar o papel de vítima e se posicionar como um protagonista na sua vida.

Pense: quando foi a última vez que você fez algo pela primeira vez? Quando foi a última vez que você ultrapassou seus limites? Quando foi a última vez que você se arriscou? As respostas a essas perguntas podem revelar muito sobre sua disposição de fazer o que for preciso para alcançar seus objetivos e sonhos. Dentro de um processo maior que foge ao nosso controle, nossos condicionamentos nos distanciam cada vez mais da nossa essência. Saber quem somos de verdade vai se tornando uma missão bastante difícil, assim como saber aquilo que queremos, aquilo que nos faz felizes e como fazemos para chegar lá. Uma missão difícil, mas cada vez mais necessária.

- Preste muita atenção aos seus compromissos diários e reconheça o que é de sua responsabilidade e o que é da responsabilidade dos outros. Assuma o que é seu e deixe o que é dos outros para que eles resolvam – se o que é de responsabilidade dos outros for gerar resultados importantes também para você, aprenda a cobrar dos responsáveis a execução daquilo que for necessário.

- Aprenda a lidar com as frustrações e com os eventuais fracassos que com certeza irão cruzar o seu caminho. Não se torne um dependente de seus estados emocionais. Seja proativo e assertivo, mesmo quando intimamente você não estiver se sentindo muito bem.
Se tem uma coisa que nunca muda é a mudança. Ou seja, ela estará na sua vida em todos os momentos e de todas as formas. Portanto, para que construir sua casa na ponte se você está só de passagem por ela? Para que prolongar um problema, um sofrimento, se isso também vai passar? Todos estamos aqui para aprender com nossas lições. Sendo assim, estamos fadados a ter frustrações e fracassos. E para lidar com eles, é preciso entender que frustrações e fracassos são tão importantes quanto alcançar metas e obter sucessos. Ambos se complementam e dão sentido um ao outro. A vida vai continuar

independentemente de como você escolha viver. Então, faça sua vida valer a pena.

Lembre-se sempre de que a melhor forma de afastar uma emoção ruim é partir para a ação em algo que você goste de fazer – isso vai esvaziar a sua mente dos maus pensamentos e acalmar o seu coração, ajudando-o a ser mais assertivo.

Sobre esse tema, compartilho com você algumas ideias publicadas em um artigo do médico indiano Dr. Shrirang Bakhle[1]. Todos nós passamos por vários problemas – pequenos e grandes – todos os dias. E como resultado, temos que lidar continuamente com diferentes emoções em diferentes intensidades.

Uma parte importante do nosso crescimento é responder aos problemas com a intensidade adequada. Assim, para sermos capazes de lidar de forma saudável com os problemas, a grande pergunta que temos de nos fazer é: essa reação emocional que estou tendo agora é proporcional ao grau do problema?

O Dr. Shrirang Bakhle avalia as explosões emocionais que não são proporcionais ao problema por meio da escala que as classifica em três níveis, de acordo com a sua gravidade: grau do arranhão, grau da fratura e grau do ataque cardíaco.

Uma reação emocional desproporcional é uma característica de muitos distúrbios, como depressão, ansiedade, fobias ou problemas de raiva.

Essa escala "arranhão-fratura-ataque cardíaco" se torna muito útil para entender objetivamente a gravidade do problema, tornando possível diminuir nossa resposta emocional ao nível apropriado.

- Cuide de sua autoestima. Não deixe que fatos ou pessoas negativas coloquem-no para baixo, tirem a sua energia. Crie um método, ou uma estratégia, para se blindar contra a negatividade.

  Está cada vez maior a dificuldade de nos mantermos motivados, focados na direção em que queremos chegar. Com toda a

---

1. FONTE: www.freepressjournal.in – Don't Make the Problem Bigger than It is, by Dr Shrirang Bakhle.

falta de tempo hoje em um mundo cheio de demandas, procuramos fazer o nosso melhor para garantir uma boa disposição e saúde para lidarmos com tantas adversidades. Fazemos academia, cuidamos da nossa dieta, procuramos desenvolver novas qualidades pessoais, rezamos para cuidar do espírito e nos propomos a começar o dia com o pé direito.

Porém, frequentemente nos deparamos com pessoas ou acontecimentos que têm o dom de nos contaminar com sua negatividade, o que acaba pondo todo o nosso esforço a perder.

Para nos proteger diante das situações desagradáveis que surgem, é importante estar sempre no presente. Estando no presente você consegue escolher se quer continuar sendo afetado pelo negativo ou não, se quer continuar carregando uma energia ruim que não é sua, ou não. É importante colocar limites dizendo para si mesmo: "Isso não vai me invadir, porque não é isso que eu quero pra mim".

- Construa a autonomia sobre sua própria vida. Planeje seus caminhos, suas metas e seus projetos, trace objetivos claros, para o curto, o médio e o longo prazo. Tenha sempre muito claro o que você quer conquistar e aonde quer chegar. Lembre-se sempre de que "para quem não sabe aonde quer ir, qualquer caminho serve". Ter direção, saber para onde se quer ir, nem sempre é uma questão muito simples. Às vezes, queremos tantas coisas que não conseguimos nos focar em nenhuma delas. Fica difícil criar uma meta quando há dúvidas e incertezas. E esse é o momento em que muitas vezes precisamos de ajuda, de alguém que possa nos apontar diferentes caminhos de forma que possamos ver mais claro qual deles gostaríamos de seguir. Isso às vezes leva algum tempo, mas esse é um tempo necessário para que se possa ter objetivos claros e tomar as decisões mais acertadas para se chegar aonde se quer ir.

- Mantenha sua mente sempre ativa e direcionada para construir o que você planejou. Não dê chance para que o negativismo e o vitimismo se instalem em você. Lembre-se daquele velho ditado que diz "cabeça vazia, oficina do diabo".

- Sempre decida, sempre seja você a tomar as decisões sobre as coisas que afetam a sua vida. E seja sempre responsável pelas suas escolhas e por suas decisões. Assuma as consequências sobre tudo o que decidir e executar.

Num mundo cheio de ocupações e preocupações como o que vivemos hoje em dia, em que nos cobram a toda hora sobre as mais diversas coisas, é muito fácil nos perdermos de nós mesmos. E acabamos nos esquecendo de que a única maneira de começarmos a viver a nossa própria vida, do jeito que sentimos ser melhor para nós, é reconhecer que essa é a nossa vida e que somos nós os únicos autores de nossa realidade.

É muito importante que nos habituemos a fazer nossas próprias escolhas, de acordo com o caminho que queremos seguir, independentemente das expectativas que os outros possam ter sobre nós.

Você pode colocar de lado, de uma vez por todas, a mania de assumir a postura de vítima, de sofredor. Pode deixar de lado os sentimentos negativos, a vontade de culpar os outros pelas suas próprias dificuldades. Você não precisa viver em autopiedade. Basta que assuma a responsabilidade de olhar para a realidade como ela realmente é, sem distorções e sem aquele sentimento de que você é uma vítima das circunstâncias.

Tenha em mente e acredite fortemente que os problemas são a escada para o sucesso. Quanto mais alto você subir nos degraus apresentados pelos problemas, sejam eles quais forem, muito mais graduado você ficará na vida e mais preparado para conquistar tudo o que deseja realizar.

Você já é uma pessoa de sucesso. É bem provável que já tenha ouvido aquela história de que é o vencedor entre os milhões de espermatozoides que disputaram para fecundar o óvulo de onde nasceu. Você foi o escolhido para estar aqui entre nós, entre milhões de outros "indivíduos". Portanto, já é um vencedor.

Além disso, pense em por quantas dificuldades já deve ter passado para que hoje esteja aqui, lendo este livro que tenho certeza de que o levará para outros níveis maiores de sucesso. Por isso, mesmo que não o conheça pessoalmente, honro de verdade a sua história, seja ela qual for.

Saiba que o sucesso já pertence a você e que apenas estou aqui para ensinar-lhe, de forma simples e na prática, como conseguir superar problemas complicados. Toda essa metodologia que acabei de dividir com você vai ajudá-lo a solucionar uma infinidade de situações difíceis. De tal maneira que você vai passar a agradecer quando os problemas aparecerem, pois isso fará com que tenha maior probabilidade de sucesso, já que terá novas oportunidades de aprender e se superar.

Torço muito para que você aprenda a amar os problemas, pois eles o levarão ao lugar mais alto de suas conquistas. Acredite profundamente nisso e sua vida nunca mais será a mesma.

**PERSONALIDADE GOOO UP**
Pessoas que foram para cima dos problemas e resolveram. E venceram.

## J.K. Rowling

Autora da série de livros *Harry Potter*, Rowling era mãe solteira e estava desempregada quando começou a escrever sobre o famoso bruxo. Enquanto enfrentava a depressão e dificuldades financeiras, ela escrevia em bares, enquanto a filha dormia. Ser escritora sempre foi o seu sonho. Apresentou o primeiro livro da sequência para oito editoras, e o que ouvia era sempre um sonoro "não". Mas ela não desistiu e, finalmente, depois de sete anos de tentativas, conseguiu publicar *Harry Potter e a Pedra Filosofal*, hoje um dos maiores *best-sellers* da história mundial.

# A MELHOR VERSÃO DE SI MESMO

Depois de todas as ideias que conheceu neste livro, nesta jornada de aprendizado e de transformações, tenho certeza de que você hoje está mais hábil para solucionar problemas e dificuldades em sua vida, de maneira que seus sonhos sejam conquistados com mais plenitude e satisfação.

Minha grande alegria é saber que agora você, seus amigos e familiares irão tomar um novo rumo de vida, pois agora você faz parte daquele grupo de pessoas que fazem as coisas acontecerem com fundamento e com assertividade, influenciando positivamente todos ao seu redor.

Este livro tem como objetivo principalmente ajudá-lo a abandonar aquela visão que mostra o problema de forma negativa e prejudicial e a enxergá-lo como apenas mais um degrau na busca de seu grande sonho e da sua melhor versão no mundo.

Minha missão nada mais é do que ajudar as pessoas para que tenham sucesso e felicidade na vida, fazendo com que cada vez mais pessoas possam alcançar a tão sonhada condição de viver sem medos, angústias e dúvidas. Que adquiram autonomia e segurança para cada tomada de decisão na sua vida.

A grande questão tratada aqui é que você tem todas as condições de deixar de agir por medo, insegurança e dúvida e se aproximar cada vez mais dos seus objetivos e da realização de grandes conquistas ao longo da vida.

Medos e inseguranças tendem a desaparecer à medida que nos propomos a enfrentar novas situações que nos levem a novas experiências de vida. Muitos dos nossos medos existem apenas nas nossas cabeças, não têm um fundo real, e isso é algo que só podemos compreender quando nos submetemos às situações que nos causam esses sentimentos. Quando o medo, a insegurança e as dúvidas nos paralisam, é preciso fazer algo para trazer luz aos fatores que estão motivando essa dificuldade. Muitas vezes apenas o fato de se abrir com um amigo e compartilhar honestamente o seu problema pode nos ajudar a dar o salto de que precisamos para prosseguir. E o primeiro passo é reconhecer a dificuldade, aceitá-la e agir para encontrar a solução desejada.

Tenho como premissa que qualquer um pode ter, possuir ou adquirir tudo o que desejar. A grande estratégia nesse caso é saber passar de forma positiva por qualquer problema, entendendo-o como um ensinamento, como uma lição, como um trampolim para o seu sucesso.

Convido-o a se tornar uma versão ainda melhor de você mesmo. E isso começa por ajudar mais pessoas a conseguirem transformar seus problemas em degraus na busca de seus sonhos. Se você conhece pessoas que têm problemas e quer ajudá-las, fazendo a sua parte para que sejam suas melhores versões, assim como você passa a ser após ter lido este livro, então devolva ao Universo o que ele lhe deu: passe adiante o seu aprendizado e apresente este livro a essas pessoas. Quanto mais você fizer o bem, mais bem você terá em sua vida, e o seu sucesso virá com a naturalidade de um verdadeiro campeão.

É plenamente possível você se tornar uma versão ainda melhor de si mesmo. A chave para isso é que aceite tudo o que a vida lhe proporciona, independentemente de ser uma bênção, um presente, um problema ou uma dificuldade. Mas não confunda aceitar com se acomodar. Você precisa aceitar tudo o que vem para a sua vida, mas mudar aquelas coisas que lhe cabem mudar.

A propósito disso, sempre me lembro de uma oração de que gosto muito, que li pela primeira vez em um texto do teólogo norte-americano Dr. Reinhold Niebuhr, que diz: "*Senhor, concede-me a serenidade para aceitar as coisas que não posso mudar, a coragem para mudar as coisas que posso e a sabedoria para saber a diferença entre elas".*

Então, analise os problemas que a vida lhe traz e GOOO UP.

Nunca ouvi dizer que existe espermatozoide destinado a ser milionário ou pobre, feliz ou triste, de sucesso ou fracassado. Isso quer dizer que todos somos exatamente iguais e o que nos diferencia é a capacidade que desenvolvemos para superar as dificuldades, tomar as decisões certas e resolver problemas e conviver com pessoas que têm o mesmo propósito que buscamos realizar.

O começo da caminhada para se tornar a melhor versão de si mesmo é se conhecer e avaliar onde estão seus pontos que necessitam de ajustes e quais são os pontos em que você é fera, em que quebra a banca, que tira de letra, que domina. Depois é preciso caminhar com audácia, preparação, decisão assertiva e confiança. E então compartilhar o seu aprendizado e as suas mudanças, suas melhorias, suas novas histórias, pois essa é a forma de ajudar mais pessoas a se elevarem nos degraus do sucesso e da felicidade. E o seu sucesso sempre será proporcional ao número de pessoas que você ajudar.

Vá em frente e se torne a sua melhor e mais potente versão, agindo e avançando, mas lembrando sempre que "fazer qualquer um pode, mas fazer bem feito o que deve ser feito, com a intensidade necessária e com o resultado esperado, nem todos têm essa condição". Mas é claro que você sempre pode aprender e que o tempo e a experiência do dia a dia irão nortear suas habilidades e capacidades de modo que se aprimore para encarar e vencer qualquer problema.

Como eu consegui dar a volta por cima, é claro que você também pode. Afinal, somos exatamente iguais em nossa vontade de ter sucesso e temos à mão agora o mesmo método de solução de problemas. E sabemos que os rumos que definimos para nossa vida passam necessariamente por nos tornarmos solucionadores de problemas e dificuldades. Então, prepare o seu GOOO UP e vá para cima dos problemas com tudo, para alcançar seus mais incríveis sonhos.

O mais importante é ter sempre em mente que somos nós, com nossas ações e habilidades de superar desafios, que conquistamos um lugar ao sol. Mas é preciso também ter consciência de que o sucesso vem para quem ataca, e não para quem apenas se defende. Quem vai para cima e ataca os problemas certamente vai ao lugar mais alto da montanha do sucesso.

Depois disso, só me resta dizer: obrigado por estar comigo nesta jornada, e que Deus o ilumine nessa caminhada rumo às grandes conquistas, que apenas os solucionadores de problemas conseguem alcançar.

GOOO UP!
Alberto Júnior

# UM POUCO DA MINHA HISTÓRIA

Diferentemente do que muitos autores dizem, não nasci na linha da pobreza. Nasci em uma família de classe média para a época. Minha mãe era professora – em uma época em que professor ainda era valorizado –, e meu pai era um corretor de seguros bem colocado no mercado. Eles sempre me deram o que era possível e necessário, mas nunca me deixaram esquecer que na vida seria eu mesmo que teria de buscar meus próprios objetivos.

Meus avós por parte de mãe eram italianos. Meu avô construiu sua vida toda com um açougue aqui no Brasil e, apesar de eu não tê-lo conhecido, sua história ficou em minha mente como exemplo de um grande líder que faz acontecer.

Trabalhei desde bem cedo, ajudando meu pai em um minimercado que ele possuía, como fonte de renda paralela. Por volta dos meus sete ou oito anos, era eu quem limpava o chão do mercado. Mais tarde fui trabalhar no estoque e depois na fiambreria e na padaria. Até chapista de lanches em baile *funk* eu fui em certa época, além de também ter trabalhado em uma quadra de futebol de salão. A história é longa, mas a verdade é que eu tinha de me virar.

Certo dia, me deparei com "um monte" de dinheiro – que eu nunca soube direito de onde tinha vindo – em cima da mesa, no apartamento em que morávamos. E meu pai falando o quanto aquilo era bom. Imagine só como isso fica gravado na mente de uma criança. É claro que comecei a pensar "já que ele pode ter tanto dinheiro, eu também posso". E passou a ser para mim um objetivo a ser alcançado – mesmo que naquela época eu ainda não tivesse consciência disso. O que eu sentia era que ter dinheiro era algo muito bom.

Mas também entendi que era eu quem teria de fazer acontecer. Porque imaginava que somente trabalhando teria o que queria e faria o que quisesse, da minha forma. Por isso mesmo, alguns anos depois eu já estava trabalhando no escritório da empresa de vendas de seguros do meu pai.

Nessa época, já tinha visto alguns vendedores de meu pai em campo e fiquei muito curioso. A venda de seguros era ainda muito "amadora", posso dizer. Não havia nada de muito sofisticado. Bastava usar uma tabela e dar o preço para o cliente – e se ele não comprasse, partia-se para o cliente seguinte. Era muito difícil o vendedor evoluir dessa forma. E isso me deixou pensando se não haveria uma forma diferente e melhor de fazer essas vendas.

Depois de ver como aquilo funcionava, resolvi, numa bela tarde, pular a janela da escola – já que eu estava com algumas propostas na minha pasta e uma tabela de preços – para ir correndo oferecer seguros para os garis que limpavam as ruas do Parque da Redenção.

É claro que acabei me dando mal na escola, porque era dia de prova. Por outro lado, consegui fazer a minha primeira venda. E então descobri "a matemática" das vendas: fazer contato, visitas e, então, vender. E não parei mais.

Essa experiência foi como uma bomba que caiu na minha cabeça, que me fez ter vontade de não depender de mais ninguém. Entendi que o meu sucesso estava em minhas mãos e que tudo o que eu realizaria seria consequência de tudo o que eu faria. Que eu precisava me tornar a minha melhor versão de mim mesmo, para conquistar tudo com o que eu sonhava. E uma boa parte do resto da história você acabou de conhecer neste livro.

# AGRADECIMENTOS FINAIS

Ao longo dos vinte anos que levei para que este livro fosse publicado, quando dei meu primeiro GOOO UP na vida profissional, diversas pessoas me inspiraram para que esta obra tivesse ainda mais sentido. E mesmo com que alguns talvez eu não tenha conexão direta, em algum momento seus ensinamentos fizeram parte da minha jornada.

Agradecer passou a ser um ato honrado para mim mesmo sem ter absolutamente nada em troca.

Obrigado primeiramente a minha mulher, Mariângela. É importante ter uma família para que tudo ande conforme o esperado, e uma parceira para todas as horas, que me deu as pequenas Carol e Sofia. Agradeço à minha mãe, Ida, e à minha avó Jiusephina. Ao meu avô que não conheci – se foi antes do meu nascimento –, mas que me deixou o ensinamento de "quem quer faz". Ao meu pai, que me criou mesmo com tantas dificuldades e foi quem me fez crescer e amadurecer em todos os sentidos, inclusive profissionalmente – afinal, ganhar uma herança de dívidas não é pra qualquer um! À minha filha Duda, que me ensinou – sem saber – a ter paciência. Aos amigos Emerson, Vilmar, companheiros que estão ao meu lado há mais de 25 anos.

Agradeço ao meu time atual de trabalho: Pâmela, pela sua incansável vontade de aprender; Fabi, pela sua dedicação extrema a nossa organização; Otto, pela capacidade de aceitar minhas orientações e fazer o que deve ser feito; Bruno, por sua vontade de entregar quando o desafio é dado, sem fugir da dificuldade; Leninha, que sabe mais da minha vida do que eu mesmo e que acumula as funções de secretária e assessora em qualquer maluquice que invento, e ainda assim faz com que tudo saia como previsto; Lima, pela sua visão interna do negócio; Leandro, o cara fora da curva quando se fala em tecnologia e sistemas, além de ser alguém que se desafia o tempo todo.

Ao Flávio Augusto, da Wise Up e do Orlando City, com quem me identifico por sua história e pelos caminhos que vêm sendo trilhados. Ao Fernando Seabra, a quem costumo apontar como uma das grandes mentes de *startups* e que me mostrou, na prática, como tudo é possível no universo da inovação, mesmo com este emaranhado de negócios aparecendo. Ao Carlos Wizard Martins, que em seu livro me provou que problemas são simples de serem superados, desde que sejam atendidos com soluções pré-definidas. Ao Edgar Ueda, com quem aprendi que é possível cair e levantar quantas vezes forem necessárias. Ele é realmente uma pessoa fora de série, mestre em dar a volta por cima e um grande parceiro de jornada. Ao Janguiê Diniz, que, por meio do Instituto Êxito – uma obra-prima de empreender para o bem da humanidade –, desenvolveu algo que me impactou ao ajudar jovens carentes a se tornarem empreendedores de verdade. Ao Tallis Gomes, da Singu, maior *market place* de beleza e fundador da Easy Taxi. Por sua forma de fazer as coisas, ele prova que não existem problemas sem solução. Um jovem que levou apenas quatro anos para atingir mais de trinta países com sua empresa merece ser estudado por qualquer empresário de sucesso.

Agradeço ainda às pessoas que conheci e que largaram tudo para superar seus problemas e dificuldades, independentemente da magnitude deles. Cito aqui o Ederson, nosso parceiro de negócios que assumiu sem pestanejar suas obrigações, mesmo sabendo que desafios enormes iriam ser gerados. Ao Ricardo Bellino, o sempre lembrado sócio de Donald Trump e um cara que me deu um verdadeiro tapa na cara em uma de nossas conversas e abriu minha mente para crescer rápido. Ao amigo Léo Fortunatti, ao Gaspar Machado, que me fez tomar o rumo dos meus sonhos. A todos os garis que existem pelo mundo afora, pois foram vocês que me mostraram que vender e resolver problemas fazia parte da minha vida, quando fiz minha primeira venda, aos quinze anos, para um deles. Ao mestre Cabeggi, que, como excepcional profissional, me ensinou e me ajudou a estruturar estas palavras, para que fossem preparadas e gerassem o melhor entendimento do leitor. Ao grande amigo Marcial Conte, responsável por alimentar com sua visão, experiência e profissionalismo esta obra para que se tornasse algo muito maior do que eu poderia imaginar, gerando a oportunidade de mais pessoas no mundo mudarem suas vidas. Ele é a pessoa mais apaixonada por livros que conheci. Obrigado, amigo! Estamos juntos nessa e no que mais vier pela frente.

Meus mais sinceros agradecimentos a todos vocês e a todos aqueles que, mesmo não citados aqui, fizeram parte de minha jornada!

Fascinante, provocativo e encorajador, *Mais Esperto que o Diabo* mostra como criar a sua própria senda para o sucesso, harmonia e realização em um momento de tantas incertezas e medos. Após ler este livro, você saberá como se proteger das armadilhas do Diabo e será capaz de libertar sua mente de todas as alienações.
*"Medo é a ferramenta de um diabo idealizado pelo homem."*

Sua mente é um talismã secreto. De um lado é dominada pelas letras AMP (Atitude Mental Positiva) e, por outro, pelas letras AMN (Atitude Mental Negativa). Uma atitude positiva irá, naturalmente, atrair sucesso e prosperidade. A atitude negativa vai roubá-lo de tudo que torna a vida digna de ser vivida. Seu sucesso, saúde, felicidade e riqueza dependem de qual lado você irá usar.

*Quem pensa enriquece – O legado* é o clássico *best-seller* sobre o sucesso agora anotado e acrescido de exemplos modernos, comprovando que a filosofia da realização pessoal de Napoleon Hill permanece atual e ainda orienta aqueles que são bem-sucedidos. Um livro que vai mudar não só o que você pensa, mas também o modo como você pensa.

Livros para mudar o mundo. O seu mundo.

Para conhecer os nossos próximos lançamentos
e títulos disponíveis, acesse:

🌐 www.**citadeleditora**.com.br

**f** /**citadeleditora**

📷 @**citadeleditora**

🐦 @**citadeleditora**

▶ Citadel - Grupo Editorial

Para mais informações ou dúvidas sobre a obra,
entre em contato conosco pelo e-mail:

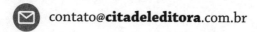

contato@**citadeleditora**.com.br